Alexis Williams

Perfect Puzzles

Sudoku

Published by Hinkler Books Pty Ltd
45–55 Fairchild Street
Heatherton Victoria 3202 Australia
www.hinkler.com.au

© Lovatts Publications 2012
Design © Hinkler Books Pty Ltd 2012, 2013

Image: Seamless blossom © Markovka; Seamless balloons © Maria_
Galybina/Shutterstock.com

Cover Design: Leanne Henricus
Typesetting: MPS Limited
Prepress: Graphic Print Group

ISBN: 978 1 7436 3409 7

Printed and bound in China

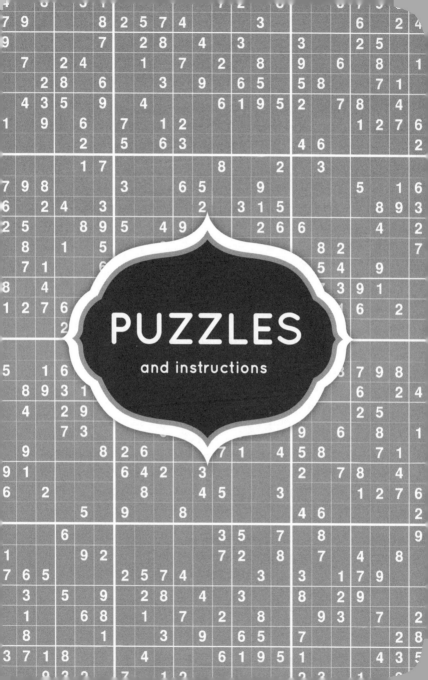

PUZZLES

and instructions

INSTRUCTIONS

How to Solve SUDOKU

A Sudoku puzzle consists of 81 squares divided into nine 3 x 3 blocks. Some of the squares have been given numbers.

To solve a Sudoku puzzle you have to use the numbers 1–9 to fill in the blank spaces so that each row, each column and each 3 x 3 square has all the numbers 1–9 appearing once.

The only thing you need to solve a Sudoku number place puzzle is logic. You don't need any mathematical knowledge. In the easier puzzles you may be able to see straight away where a particular number goes.

Focusing on one particular blank square at a time, scan its row, column and block. Any numbers that already appear cannot be used to fill the blank square.

As you eliminate possibilities you can see which numbers can be used. If only one number in any sequence is missing (to make the numbers 1–9 appear once only across, down or in a box), then this is the number you are looking for, so fill it into the space. Scanning the Sudoku for pairs of numbers in rows, columns and blocks is a great way to see where a number is missing.

In the harder puzzles (or when first tackling a Sudoku puzzle) you can make note of the possible numbers lightly in pencil in the corner of each box. If you do this in all the blank squares you will soon see a place where a particular number has to be the answer.

As you fill in the numbers you eliminate the possibilities available to fill in other spaces. Continue filling the numbers until every square is filled and the columns, rows and 3 x 3 blocks all contain the numbers 1–9.

Write the possible number options lightly into each square and soon you will be able to eliminate certain numbers.

If you scan the row, column and 3 x 3 box, you will see that the only digit that can be used to fill this space is 7.

If you repeat step 1, you will see this square can only be filled by 1.

This must be 2 and so your column is now complete.

Sudoku puzzles can take anything from 10 minutes to a few hours. The more you do the better you become!

How To Solve KAKURO

The numbers given in a Kakuro are like clues. Each is a total to a sum and you have to work out which numbers add up to the total to fill the blank squares.

Sounds easy, but each answer has to fit in with the other sums around it.

- Only the numbers 1–9 can be used.

- Each number can only be used once in each sum.

- Some combinations have only one solution. They are called UNIQUE BLOCKS. Use the Kakuro blocks to help you solve the puzzle.

For example a total of 4 in 2 squares is a UNIQUE BLOCK. It can't be 2 + 2 because each line of numbers can

Kakuro Unique Blocks

TOTAL	SQUARES	POSSIBLE NUMBERS
3	2	1,2
4	2	1,3
16	2	7,9
17	2	8,9
6	3	1,2,3
7	3	1,2,4
23	3	6,8,9
24	3	7,8,9
10	4	1,2,3,4
11	4	1,2,3,5
29	4	5,7,8,9
30	4	6,7,8,9
15	5	1,2,3,4,5
16	5	1,2,3,4,6
34	5	4,6,7,8,9
35	5	5,6,7,8,9
21	6	1,2,3,4,5,6
22	6	1,2,3,4,5,7
38	6	3,5,6,7,8,9
39	6	4,5,6,7,8,9

contain only one of each numeral. So the two squares can have only 1 or 3, though you don't know in what order the 1 and 3 go until you look at the other sums around them.

UNIQUE BLOCKS are essential tools for solving Kakuro puzzles. Use the UNIQUE BLOCKS to find possible combinations to help you solve these puzzles.

How To Solve ADDOKU

The Addoku is like a Sudoku in that every row, column and 3 x 3 block must contain the numerals 1–9. The difference is that you are not given numbers to start you off. The numbers that occur in the squares linked by a shaded line add up to the total given in the top left-hand corner of each set. Use these totals to find the right numbers to solve the puzzle.

Addoku Unique Blocks

TOTAL	SQUARES	POSSIBLE NUMBERS
3	2	1,2
4	2	1,3
16	2	7,9
17	2	8,9
6	3	1,2,3
7	3	1,2,4
23	3	6,8,9
24	3	7,8,9
10	4	1,2,3,4
11	4	1,2,3,5
29	4	5,7,8,9
30	4	6,7,8,9
15	5	1,2,3,4,5
16	5	1,2,3,4,6
34	5	4,6,7,8,9
35	5	5,6,7,8,9

Addoku Tips

Single digits can be filled in straight away. Then look to two digit sets and work out the possible combinations. For example, the total 3 can only be 1 & 2, 17 can only be 9 & 8 but 8 could be 1 & 7, 2 & 6, or 3 & 5. Then do the same with three and four digit sets. Eventually patterns will emerge as you eliminate possibilities.

Use the UNIQUE BLOCKS as a guide.

It is also useful to remember that the numbers in each row, column and 3 x 3 block add up to 45. If the shaded sets fill a row, column or block with just one number protruding into another row, column or set, then that number will be the total of the shaded sets minus 45.

Always remember your basic Sudoku rule that no numeral 1–9 can be repeated in any row, column or 3 x 3 block and you will soon unravel the Addoku.

How to Solve BINARY

Each square in the puzzle may contain either 0 or 1.

1 No more than two adjacent squares may contain the same digit, i.e. you cannot have three adjacent squares in a row or column of the same digit.

2 Each row and each column must contain the same number of 0s and 1s, e.g. for a 10 x 10 grid, each row and column will contain five 0s and five 1s. For uneven grids, there is always one more 1 in each column or

row e.g. for an 11 x 11 grid, each row and column will contain five 0s and six 1s.

3 No row may be the same as another row and no column may be the same as another column. However, a row may be the same as a column.

How To Solve LOTUS

- Each arc must contain the numbers 1–7.

- Each ring of shaded petals must contain the numbers 1–7.

- Each ring of white petals must contain the numbers 1–7.

- No number can be repeated in any arc or ring.

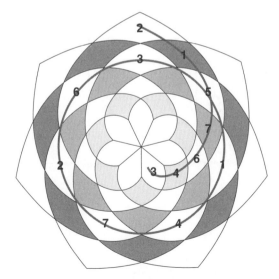

SUDOKU

checked

LEVEL 12345

2	8	4	6	1	9	7	5	3
7	3	6	2	5	4	8	1	9
9	1	5	3	7	8	6	2	4
6	2	8	4	3	5	9	7	1
4	5	1	7	9	6	3	8	2
3	9	7	1	8	2	4	6	5
8	4	3	5	6	1	2	9	7
5	7	9	8	2	3	1	4	6
1	6	2	9	4	7	5	3	8

9	5	4	7	8	6	3	1	2
2	3	1	4	9	5	7	8	6
6	8	7	2	1	3	5	9	4
5	9	6	1	3	2	8	4	7
4	7	2	6	5	8	9	3	1
3	1	8	9	7	4	6	2	5
1	6	5	3	2	9	4	7	8
7	4	9	8	6	1	2	5	3
8	2	3	5	4	7	1	6	9

SUDOKU 3

LEVEL 12345

8	4	9	1	3	5	7	2	6
3	7	5	6	9	2	8	1	4
2	1	6	4	8	7	9	5	3
9	2	1	3	5	8	6	4	7
6	5	3	9	7	4	2	8	1
7	8	4	2	6	1	3	9	5
5	3	2	7	1	9	4	6	8
1	9	7	8	4	6	5	3	2
4	6	8	5	2	3	1	7	9

5	9	7	4	8	2	6	1	3
4	3	8	1	6	7	5	2	9
1	2	6	9	3	5	8	4	7
8	5	3	6	9	1	2	7	4
7	6	4	8	2	3	9	5	1
2	1	9	5	7	4	3	6	8
9	7	5	2	4	8	1	3	6
3	8	1	7	5	6	4	9	2
6	4	2	3	1	9	7	8	5

4	8	6	3	1	5	9	7	2
8	7	9	4	2	8	6	3	1
3	2	1	7	9	6	4	5	8
8	5	2	9	6	4	3	1	7
6	9	3	8	7	1	2	4	5
7	1	4	5	3	2	8	9	6
1	6	7	2	4	3	5	8	9
2	3	8	1	5	9	7	6	4
		5	6	8	7	1	2	3

8	6	4	9	2	3	5	1	7
1	3	9	5	6	7	2	4	8
2	5	7	4	8	1	9	3	6
9	2	8	6	4	5	3	7	1
6	1	5	7	3	2	4	8	9
4	7	3	1	9	8	6	5	2
3	4	2	8	7	6	1	9	5
7	9	1	2	5	4	8	6	3
5	8	6	3	1	9	7	2	4

SUDOKU 7

LEVEL 12345

7	1	8	2	9	3	6	4	5
5	6	3	1	4	8	7	9	2
9	4	2	7	6	5	1	8	3
1	8	6	4	3	2	5	7	9
3	9	4	5	1	7	2	6	8
2	5	7	9	8	6	4	3	1
4	2	9	3	7	1	8	5	6
6	7	1	8	5	9	3	2	4
8	3	5	6	2	4	9	1	7

6	2	9	3	4	5	8	1	7
1	4	3	7	9	8	5	6	2
7	5	8	6	1	2	4	9	3
3	1	4	2	5	6	7	8	9
9	7	6	4	8	3	1	2	5
5	8	2	9	7	1	3	4	6
2	3	7	8	6	4	9	5	1
8	9	5	1	2	7	6	3	4
4	6	1	5	3	9	2	7	8

4			3		8			2
3	2		6	5			9	
8				2		3	1	5
5	7	4	9				2	6
		8				7		
2	6				7	1		4
6	4	2		3				
	8			4	5			3
9			8					

checked

1	3	8	7	2	6	5	4	9
2	4	9	5	3	1	6	8	7
7	6	5	4	8	9	3	1	2
6	1	7	8	4	3	2	9	5
9	8	2	1	6	5	7	3	4
3	5	4	2	9	7	1	6	8
5	7	3	9	1	8	4	2	6
4	9	1	6	5	2	8	7	3
8	2	6	3	7	4	9	5	1

SUDOKU ||

LEVEL |2345

		8						3
5		7					8	9
	3		7	2		6	4	
9	8	3		6	2			
2	1			5			3	6
			1	9		4	2	8
	6	2		7	1		5	
3	7					8		1
4						7		

3			1		7			
	7		2	3	5	6	1	9
1				9	4		3	7
9	4	7	8	2	6	1	5	3
5	1	8	9	4	3		7	6
6	2	3	7	5	1	9		
4	3		5	1		7		2
2		5	4	7	8	3	6	1
7		1	3					5

SUDOKU 13

LEVEL 12345

7	1	3	5	9	6	2	8	4
4	2	6	1	8	3	9	7	5
5	8	9	7	4	2	3	1	6
9	3	7	8	5	1	4	6	2
1	4	2	3	6	9	7	5	8
6	5	8	2	7	4	1	3	9
2	7	5	4	1	8	6	9	3
8	9	4	6	3	7	5	2	1
3	6	1	9	2	5	8	4	7

4	5	2	7	1	3	9	8	6
8	3	1	2	9	6	7	4	5
6	9	7	8	5	4	3	1	2
2	1	9	3	7	8	6	5	4
7	8	6	5	4	9	1	2	3
3	4	5	1	6	2	8	9	7
5	7	3	9	2	1	4	6	8
1	6	8	4	3	5	2	7	9
9	2	4	6	8	7	5	3	1

9							1	
	8	1			6			5
	4	6			7	3		
8		5		1		6	7	
6			5	2	3			8
	1	4		7		9		2
		8	7			2	9	
1			4			5	6	
	9							4

		6		5	1		3	2
								9
1		5	7	2			8	
3					7	8		4
		9	8	1	5	3		
6		7	4					5
	6			9	4	2		1
9								
2	1		5	7		9		

LEVEL 12345

7					1			
	9	6		2			7	1
		8			7	3	5	4
2		5	1				6	9
			9		2			
4	8				6	1		2
9	4	1	8			7		
3	5			1		6	4	
			4					5

								4
		5	6	7			2	
	6		5	2	4			7
	8				6	3	7	
	9	6		5			2	4
	4	3	2				8	
1			7	3	2		9	
	3			4	1	8		
9								

1		8	4					
				3				6
3	9			1		8	4	
9	8	4				3		
6			3	5	2			8
		3				1	6	7
	5	7		4			8	1
8				7				
					9	2		3

								3
3	6				7			2
	2		5		6	1	8	
8		4		2			1	6
	7			1			4	
2	5			6		8		9
	9	2	8		3		7	
7			2				9	4
1								

			1					7
		8				5	1	9
1	5		4	9	7			
	6	9		1			8	3
		7	5	4	9	1		
2	1			8		9	7	
			3	7	5		2	6
6	7	5				3		
3					4			

LEVEL | 2345

6							1	
			9		1			7
7		5	4	6		3		
	2		5		3		6	4
8	6						2	5
4	5		1		6		9	
		1		7	4	9		6
3			6		8			
	4							8

4					9	2	3	7
8	7	9			5		6	
	9		2	5		4	1	
6								3
	4	5		6	7		8	
	3		9			7	2	8
9	2	7	4					1

		8			9		3	
3	6			4			1	
1			3	8				9
	7		4		6	2	8	
4		6		5		3		7
	3	5	2		7		6	
5				2	4			6
	1			6			2	8
	9		5			1		

SUDOKU 25

		3			7			
	5			6			9	1
4	9				5			8
	6	8	3		9	2		
	2	7		1		9	8	
		1	2		8	7	6	
6			5				4	7
2	1			4			3	
			9			6		

5					3			7
	9					2		3
	4	2	9		1			8
	3	9	8				7	6
	1		7	6	4		2	
6	7				2	8	1	
1			2		9	5	8	
4		3					6	
9			5					1

				8		1		
5	1			6				
8		7	1			4	5	
9		4			1		8	3
	6			2			4	
1	8		9			6		5
	5	3			4	7		2
				7			3	9
		8		1				

			8					
	8		5		7	4		2
2	7	5					1	8
9			8	6			4	3
	4						2	
7	1			2	3			9
1	2					8	5	7
6		8	7		4		3	
				1				

SUDOKU 29

LEVEL 12345

					5	4		3
	3		4				8	
1	7		3				5	
		7		9	6		3	2
5		2		1		6		8
3	8		5	2		7		
	5				7		6	4
	6				8		1	
9		8	6					

5								
			4		5		8	6
8			3		9		1	4
2		3		4		6		
	9	5		8		4	2	
		8		5		7		9
4	5		1		8			2
9	2		6		7			
								7

SUDOKU 31

LEVEL 12345

								9
			1	5	7	6	4	
		4		8		7	2	
		5			3	9	7	
7	3		2	4	9		1	8
	8	9	5			4		
	1	3		9		2		
	9	2	6	1	4			
4								

	9				4	3		
		4					5	7
1		6	5	8	7			
3				9		7		6
		7	1		3	9		
9		1		6				4
			3	5	8	1		2
5	1					4		
		8	4				9	

				5		6		
		6						7
			8	6	1	3		
	2	3	4			1	7	5
1		4	7		5	9		6
5	9	7			3	4	8	
		2	1	8	9			
3						5		
		1		3				

							2	
		9		1		3		6
		1			9	4	7	5
8		5			1		3	4
3	9			6			1	8
1	6		8			2		7
5	7	6	9			8		
9		3		5		7		
	1							

1								
					6	8		7
	6		7	8	5			1
3	9		1	4			5	
6		4		7		2		8
	1			6	8		3	9
5			4	3	9		8	
2		6	8					
								4

LEVEL 12345

9			2	4	5		3	
3			6	9				5
1			8	6	2	7		
2		8		7		6		4
		6	5	1	4			8
5				8	1			6
	8		7	5	9			1

SUDOKU 37

							8	
						5		1
1	2	8	5			9		3
9	4		3	1			5	
5	8		9	6	4		3	7
	3			5	2		9	6
4		7			1	3	2	8
2		3						
	6							

7								
			4	2			6	8
	8					4	7	2
3		1		4	6			5
	4	6		1		3	9	
9			8	7		1		6
2	1	8					5	
5	3			6	2			
								1

	3			4	6			1
6		4	1		7			2
	6	3			5	7		9
		7	2	9	3	8		
2		9	7			5	1	
1			3		9	2		6
9			6	5			3	

LEVEL 1 2 3 4 5

					5			
2	5	1				4	6	
		4				1	3	5
5	1	2		6			7	4
		6		8		9		
8	4			7		3	5	6
1	8	7			3			
	3	5				7	1	9
			1					

SUDOKU 41

LEVEL 12345

				9	7			
						7	6	4
	6	2			3		5	9
	4		5			9		6
	7	6		4		3	2	
9		5			6		7	
6	8		3			1	4	
2	1	3						
			1	2				

		8		4				
			3		2	5		8
	9	7			5		6	
	7			2		1	5	3
	4		7	5	6		2	
5	2	9		8			4	
	8		5			3	1	
6		5	2		8			
				7		6		

					6			
6			1			2		3
2				5	8		4	6
8	3				1			4
7	5		8		9		3	2
9			2				7	5
5	2		4	9				7
4		6			2			8
			6					

				3				
	4						2	
6	1				4	7	3	8
		1	9	5				7
4	6		7	2	3		5	9
5				8	1	3		
3	8	2	5				9	6
	9						7	
				6				

SUDOKU 45

LEVEL 12345

					2	1		
	4	5						7
		3	7	6			5	2
	6	1	2		3	5		8
			4		6			
3		9	5		7	6	1	
9	8			7	5	3		
7						4	8	
		2	8					

			3			9		
	8			6		3		7
3	5				2	4		
9			1		6			4
5	6			4			9	2
4			7		9			8
		5	2				7	3
7		4		3			1	
		6			1			

SUDOKU 47

LEVEL 12345

								3
	5				9	2		
7			3		2	6	8	4
6	3			8		5	7	9
				4				
8	2	5		9			6	1
9	6	2	4		8			5
		8	9				4	
3								

		4		2	1		5	9
		1		9		7		2
8		9			4		1	6
		3	8	1	9	5		
5	1		6			9		8
1		7		3		4		
9	5		1	4		6		

					4		1	
	8			9				6
7				2		9	4	
5		1	4	8			6	7
	9	7		1		4	8	
2	4			7	5	3		1
	6	9		5				4
8				3			5	
	5		1					

						7		3
					4			2
3	2	4	7			5		8
7		6	2				3	9
		9	4	8	7	2		
2	8				9	4		1
8		3			2	9	6	4
4			1					
6		7						

						1		
		6						8
		4	7	9		3	2	6
6	1	3		8		9		
		5	9	2	3	7		
		7		1		8	3	5
9	5	1		7	2	4		
7						2		
		2						

						9	2		
8			5	2		7		9
	4	8	1	6		9		7
9	3	6	7		4	5	2	1
2		7		3	5	6	8	
3		1		5	7			8
		4	2					

SUDOKU 53

								7
	2				5		3	
5				4			2	8
7	1	5	9				6	
8	9	2		7		3	1	5
	4				1	7	8	9
6	7			3				1
	8		5				9	
9								

					9			
	5	2	8					7
1			2	7		8		
6	3		5			1		2
	8		6	9	3		7	
7		5			4		8	6
		9		1	2			3
4					8	9	6	
			9					

				7		6		4
	4							1
		8			4		2	7
	7		4	9	3			
4	6		5	8	1		3	2
			6	2	7		5	
3	8		9			2		
9							1	
6		2		5				

						2		
			7			6	8	5
4			8		5	3	7	
1			4	5	6			
6	5		3	8	7		1	4
			2	9	1			6
	9	4	1		2			7
3	1	6			8			
		7						

SUDOKU 57

LEVEL 12345

			1				9	
	2	8					3	
9	3				5			6
5			4				6	7
7	9	1	8		2	3	4	5
3	4				9			1
4			5				7	3
	7					1	8	
	6				1			

								6
			8	6	5		3	
					2	7	9	8
2		5	6		9		7	3
	3	6				9	1	
1	8		4		7	6		2
9	5	3	1					
	7		2	9	3			
8								

2			9	7				3
7		8			3	6		
1	7			9	2	8		5
9		5		1		7		2
8		2	5	4			6	9
		1	8			3		4
5				3	9			6

							3	
4		6						1
	9	3		1	4		8	5
		7	4		8			2
	5	4		2		1	6	
8			5		1	9		
7	2		9	5		8	4	
5						6		7
	4							

SUDOKU 61

LEVEL 1 2 3 4 5

			7					
					8	9		
7	6	8				3		
3	1			8			5	
		7	6		1	2		
	2			5			8	7
		2				7	6	4
		6	4					
					5			

							9	1
			4	5				
		7			3	2		8
	4		2			7		
6			7		9			4
		1			5		6	
8		6	5			4		
				3	2			
3	1							

SUDOKU 63

LEVEL 1 2 3 4 5

				8		6		1
5		1			6			
				9		5		3
	3					7		4
			4		9			
8		7					9	
6		4		5				
			9			1		2
1		8		6				

3								
1			5	4				
		4		3	7	1		
	7		4					6
5			8		1			9
4					5		7	
		8	7	1		6		
				2	4			5
								3

			3					
	4	2					6	
8	6	1						3
		8	5	6				9
	5						4	
6				2	9	1		
2						4	9	7
	7					3	2	
					4			

			2				6	4
				5				3
			9			7		1
					8	4	9	
1		4				5		7
	6	9	3					
7		1			9			
6				3				
9	3				4			

SUDOKU 67

LEVEL 1 2 3 4 5

				7				6
		5	8					3
			6			5	1	
8			1			2		4
6								7
4		1			5			9
	3	4			7			
1					8	7		
5				1				

		3			2			9
					5		3	
2	9			8				
		4			1		8	
8		1				9		7
	7		4			5		
			3				7	1
	5		8					
1			7			6		

						5		
6				5			7	
		9		3				1
8					1	3		
	3		6	2	7		1	
		2	5					7
9				6		4		
	4			7				2
		3						

								6
					1		3	
6		8	4	2				
		9					5	3
4		1		6		7		9
7	5					1		
				5	3	9		4
	7		1					
5								

SUDOKU 71

				2				6
	1				6			
6				9	1	8		
	3	6						7
		2	7		3	4		
8						2	6	
		7	1	4				2
			6				1	
9				7				

								7
					2			
		4	1	7		6		5
	3		7			8	9	
1				6				2
	2	6			4		1	
3		1		8	5	9		
			2					
5								

SUDOKU 73

LEVEL 1 2 **3** 4 5

				8				
	9					2		3
6					2	4		
8		1	9	2				
9		3				8		7
				1	8	5		2
		2	7					5
1		4					7	
				3				

	7							4
				2	5			
		8				3	7	2
	9			4				8
7	4						1	6
2				3			4	
1	2	6				4		
			3	1				
8							5	

SUDOKU 75

LEVEL 1 2 **3** 4 5

						7		9
				5				6
		7	2	4				5
9	8				6		1	
3								8
	2		1				6	4
2				1	7	8		
4				3				
5		8						

5								2
	3				2		4	6
2		6	5				3	
7					3			
		5				9		
			2					5
	5				6	2		8
4	2		8				1	
1								9

		7						
							8	3
9	8		7				5	
		1		4	2			
3		2		1		9		8
			9	5		1		
	7				3		9	4
1	2							
						3		

				6				
6	2						7	8
		7	1				3	
		6			9	4	1	
1								7
	8	4	2			3		
	3				5	7		
7	5						8	2
				8				

				2				
					7			6
		2			3	8	5	7
3	2		5					
		7		9		5		
					8		4	2
1	5	3	9			2		
8			1					
				7				

		7			9			
		4						7
1	2			3			9	
				9	8	3	1	
6								9
	1	9	6	4				
	6			1			2	5
5						9		
			9			7		

SUDOKU 81

						4		
			9					7
			5	8	2		1	
	7	6			8	9		
4	1						6	3
		8	1			7	5	
	6		3	1	5			
8					4			
		5						

				2			5	
2			8					
					4	1	9	
		9	4		3	6		8
7								3
1		4	7		8	5		
	1	7	6					
					2			1
	5			4				

	6		3					
						9		
1			9				3	4
7		1		4		3		
8			6		1			2
		5		2		1		9
9	5				3			1
		6						
					4		8	

							7	2
					9		4	
			4			5		8
4		9	8				5	
3			2		7			6
	1				4	9		7
8		6			5			
	4		9					
7	2							

SUDOKU 85

LEVEL 1 2 3 4 5

2			6	3				
						6	8	5
					7			
		1			3		7	2
		3	7		8	5		
4	7		1			8		
			2					
9	2	7						
				9	6			4

					2			4
3		1	5					
			1		9	3	8	5
4	9		3				6	1
	7			1			9	
8	1				5		3	7
5	4	9	7		3			
					1	9		3
1			2					

					1		4	6
	8	4		9		3	5	
		3			7			
2	5			4			1	8
			1			2		
	4	9		8		7	3	
6	7		5					

						6		
			9				3	5
3				4	6		2	9
8		6		9		3		7
4	2	7		3		5	9	8
5		9		7		1		2
2	9		7	6				1
7	5				4			
		1						

SUDOKU 89

		9			8		3	7
5			3	9				6
8					3		5	1
			1	8	7			
6	1		5					2
9				5	4			3
2	3		8			1		

7								
					7		5	8
			1				3	7
	4	2		9			7	1
	1		7		8		9	
9	5			2		3	8	
1	8				4			
4	7		9					
								5

SUDOKU 91

	2	4	9				3	
1			7				2	8
9	7		4		3			2
2		3				8		5
4			1		2		7	9
7	3				9			4
	8				4	5	9	

						2	4	6
2								
	9		2			5		3
	4	2	8			7		5
				5				
5		3			6	4	1	
6		8			1		3	
								1
7	2	1						

SUDOKU 93

LEVEL 1 2 3 4 5

			1					
3				8	7		4	
7	9		2				5	1
9			4	5			6	
5	1		9	6	2		7	8
	6			7	1			5
1	2				6		8	9
	4		5	2				7
					9			

			1			7		
	1			7	2	8		
5			4					6
9		1		4		3	7	
3		7				2		1
	2	6		3		4		9
7					3			2
		8	5	9			1	
		5			4			

7								
		3		2	8			1
9		8	4					
		4	1		9		6	
		7		6		3		
	1		8		2	7		
					5	4		2
4			9	8		1		
								7

				1				
5	1				6			4
		2	3	4		7		
			9			6	8	
8	7	5	2		4	1	3	9
	3	6			5			
		1		9	2	5		
7			4				2	8
			3					

SUDOKU 97

								5
		6	4				2	
		3		2		4	6	7
				1	2		8	
3	8						9	6
	5		8	3				
7	9	4		8		6		
	6				5	7		
1								

		6		7		3	9	
		5	4		9	7		
		3	9				6	1
4			1	2	8			5
9	1				3	4		
		4	3		2	6		
	5	9		1		2		

	1				8	2		
9				1	5			6
				4	6	3	5	
8		4		7		1		9
	3	2	1	5				
2			4	9				1
		9	3				4	

			9	2		7		
6			9	2		7		
		2	1	4				9
5		9	7		3			2
3		1		5		9		4
7			4		9	3		5
2				7	1	6		
		8		9	4			7

LEVEL 12345

3			2					
		2	8	7				4
	4			5			6	7
8	3							
		4	6		1	5		
							7	3
4	8			2			3	
2				8	5	4		
				7				2

		2						7
				5		4	9	
	7		4					6
	9			4	1	2		5
	4			9			7	
6		5	2	7			1	
7					6		3	
	5	6		2				
9						6		

	4						6	
3					7			
	9	6		2		3	4	5
		8		5	3	6		
			9		8			
		9	2	6		7		
6	7	3		8		4	9	
			3					6
	1						7	

			2					
1			6			5		3
6			3	7	9			8
		9		1		6		
5	4		8	2	3		7	1
		1		9		3		
8			9	6	4			7
2		3			7			4
					2			

						1		
		1			7			9
	3		6				2	
		4			9	8		1
9			2	1	6			4
5		6	4			2		
	2				3		8	
3			9			4		
		9						

		3	3			9		
		3			4			1
		1	5		7		2	4
		9			6		3	
	4			7			9	
	7		1			5		
1	9		7		8	2		
2			9			4		
		8			3			

SUDOKU 107

			3	1				
		3				9		
		6	7				4	3
3		9	2	5	7	4		
	5	1		9		7	2	
		7	8	6	1	5		9
7	8				2	1		
		2				3		
				8	5			

				9	4			2
	2		1	4			9	6
2	1				4		6	
6	5		7	2	8		3	9
	7		5				4	8
1	4			5	2		7	
8		5	9					

SUDOKU 109

LEVEL 1 2 3 4 5

		1	8		7		3	
4	6		5		3			8
					6	4		5
	4	8		5		1	9	
9		5	4					
3			6		8		1	2
	7		3		9	5		

			7					
		3			9	7		
	7	6		5		8	4	9
	8	7	9			2	5	
5		1		7		6		4
	2	9			5	1	8	
7	1	8		9		4	6	
		2	8			9		
					1			

SUDOKU III

LEVEL 12345

1					7	9		4
9							2	
				1	8			
2		5		4			8	
			3		8			
	8			5		3		1
		2	6					
	6							2
7		9	2					3

							1	
			4			7	6	2
				2	7	5		
	5			6		3		9
3				9				7
4	9	1		7			2	
		4	2	1			7	
2	1	8	7		5			
	7							

SUDOKU 113

LEVEL 12345

	7					2	1	4
				9	4			6
	2		9			7	8	
7			4		2			5
	3	8			5		2	
5			2	6				
3	4	2					5	

			7					
	3			5				6
5		8			9	4		
	6	5				9	7	
			2		1			
	8	7				1	3	
		1	4			7		9
9				2			8	
					7			

SUDOKU 115

LEVEL 1 2 3 4 5

								5
9	7				3			
			6	7		1		
			8				4	2
2		5		6		7		1
3	4				1			
		2		3	5			
			9				8	4
5								

LEVEL 12345

						7		5
	8						1	
		2	3	5		4		
8	6				4		9	
		3		2		6		
	1		7				8	4
		1		3	8	9		
	2						3	
3		4						

SUDOKU 117

LEVEL 12345

			6					
						3		5
	6	3	2	4				
8	7		3	9		4		
	9						7	
		5		7	2		9	3
				5	6	2	8	
9		4						
					7			

					2		7	
				9				1
			8	5			2	6
		6					3	8
	8	9				7	6	
7	2					4		
2	4			6	8			
3			5					
	7		2					

SUDOKU 119

LEVEL 12345

							1	3
1			4	9	8	7		
	8			5		9		1
7		9		3		8		5
5		1		6			3	
		5	6	4	7			9
2	7							

5		6		7				
	8			1	6		2	5
					9		5	3
3		5				7		4
7	1		3					
1	2		6	5			7	
				3		5		8

LEVEL 12345

9		4						
			5				7	
5			7					8
	9		3	2			4	
6		2				8		5
	8			5	9		2	
3					5			6
	1				6			
						2		3

	5				8			9
		9	7					1
							2	6
4	9		6			1		
	7			8			6	
		8			3		9	5
3	8							
1					2	4		
9			1				8	

						2	4	
2			9			3		
		7		2	3			9
			4			6	7	
1				7				8
	9	6			2			
8			1	5		4		
		1			9			5
	6	9						

						5		8
	7			8	2		4	1
7	4				6		8	5
2				3				9
8	6		1				2	4
1	9		5	4			3	
6		7						

SUDOKU 125

LEVEL 12345

				4				
			1				9	
					2	1	5	6
	6			8		7	2	3
9				3				8
3	8	4		5			6	
8	5	9	3					
	1				8			
				2				

		9						
			4				9	
			3			1	2	6
8		2	5		6			
9	6			8			3	7
			2		7	5		8
6	2	3			8			
	8				1			
						7		

				3				
						9		6
			7	9	6	2		1
		9	6				8	3
1				7				4
7	4				2	1		
9		7	8	4	1			
8		4						
				5				

	9				7	5		
2	5							9
				4	5			1
				5			7	8
		2		9		1		
1	4			7				
4			1	8				
8							3	2
		3	5				1	

							1	
	3	9		4				
			8		1		9	2
	2		1				6	3
			2	6	9			
6	1				3		8	
5	4		9		6			
				1		7	4	
	6							

4								
	3		7		5	1		
				2				8
2	5		3			8		
	8		4	6	1		5	
		4			2		6	7
7				5				
		9	8		7		1	
								6

						1	1		
1		1	0		1				0
1									
	0				1				
							1	1	
	0				1		1		0
	0	1			0				
						1		1	
0			1					1	
			1		0	1			

			1		1			
0		0					1	1
	1			0			1	
		0						0
			0		1	1		
0								0
			0		1			
		1					0	0
		1				1		
0			0				0	

	0						0		
			0			0	0		1
			0			1			
				1	1			0
0			0					1	
	1		0		0				
						0		1	
0			1	0		0		1	0
0				0					

0		0							
0					0	0			1
						0		1	
1			0		1				
							0		
1			1			1			1
			0			1	1		0
1									
0		0			1				1
			0			0			

	0							0	0
			0			1	1		
				0					0
	0							1	1
	0		1			1			
1							0		
0		0	1		1				0
						1			
0					0			0	
1		0		0	0				

	0		1				1		
		1			1			1	
			0			0			
	1								
			1		0	0			0
	0					1			
1				0			1		0
						1			0
0	0		0					0	
		0		1	0				0

BINARY 137

0		0		0		1		1	
								0	
					1				
0				0			1			0
	0				0		1		0	
				0				0		1
		0	0				1			
0									1	
0				1			1			
	1									0

0			0					0	
		1		1	0			1	
	0						1		0
0					0				
0				1				1	
		0	1						
			1			1		0	
1	1								1
				1			1		
		0					1		0

				0			1	1	
						1			
0			1		0	1		0	
			0		1		1		
0	0								
0		1							
			0		0	0			0
	0	1		1			0		
	0				1		0		1

	1							1	
0			0		1				
0			0				1		
	0				0				0
				1		0		1	
	0		0						
1			1		0		1	1	
		1				1		1	
1			1		1				
		0		1		0			

KAKURO 141

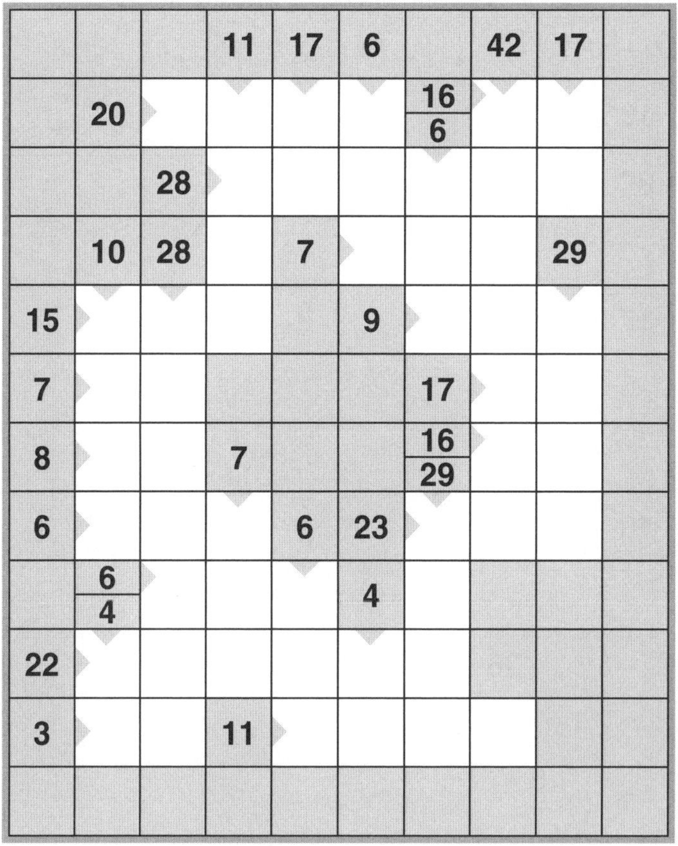
11 17 6 42 17
20 16 6
28
10 28 7 29
15 9
7 17
8 7 16 29
6 6 23
6 4 4
22
3 11

KAKURO 143

KAKURO 145

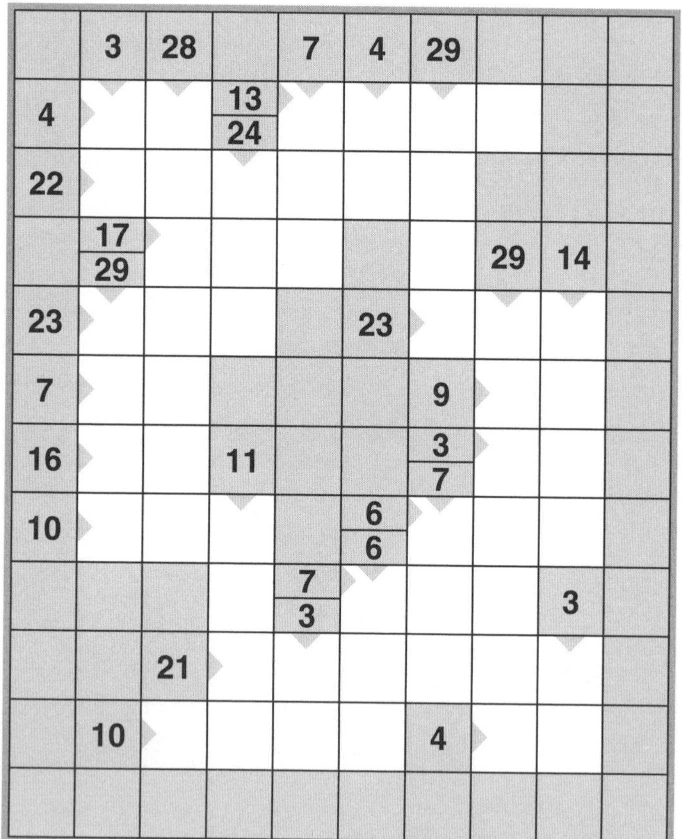

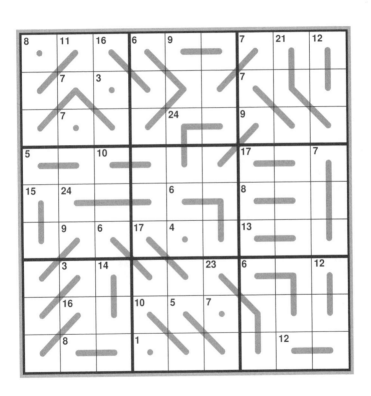

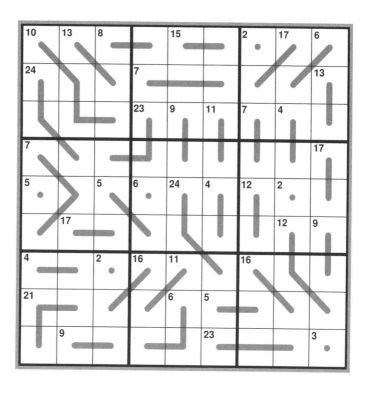

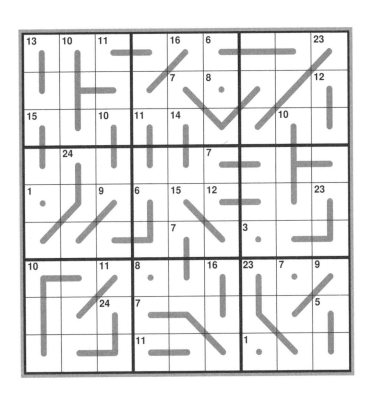

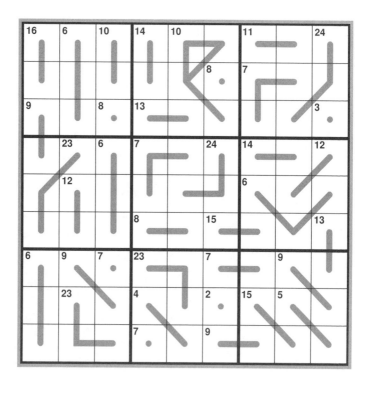

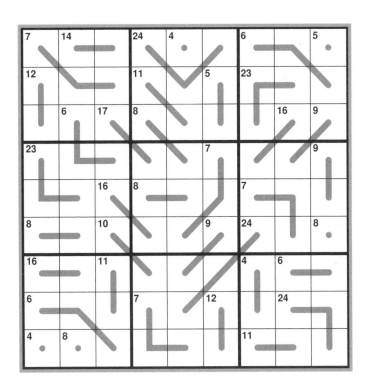

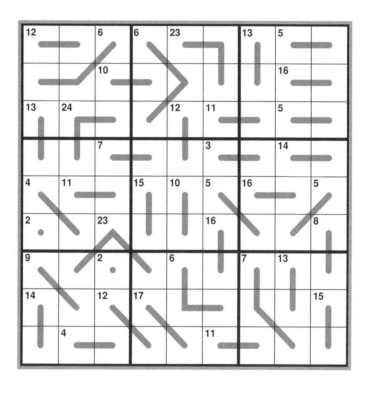

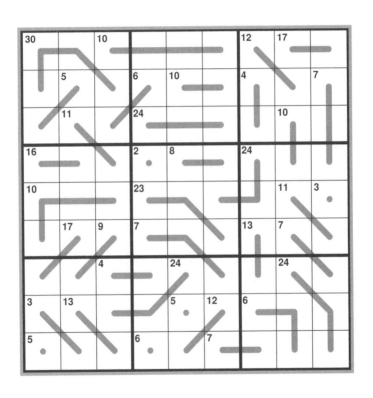

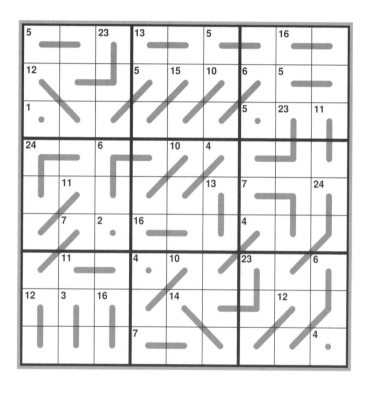

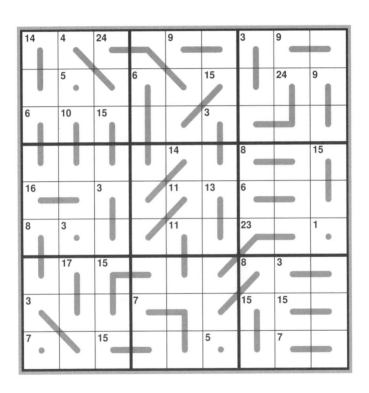

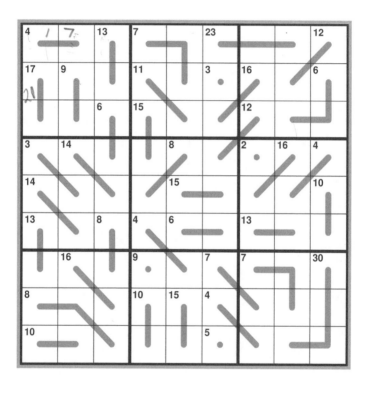

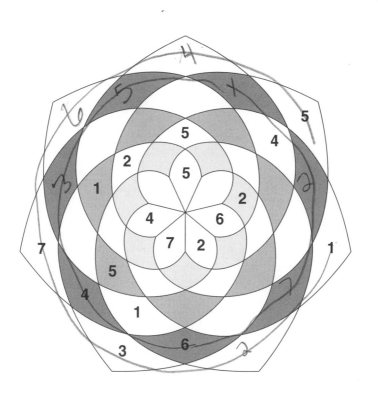

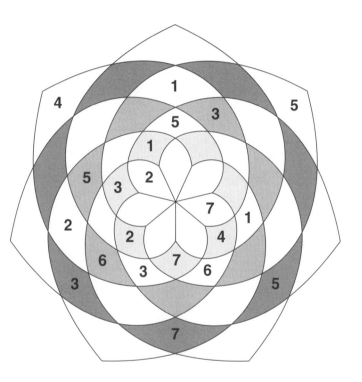

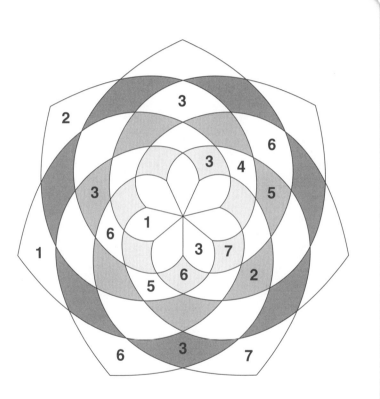

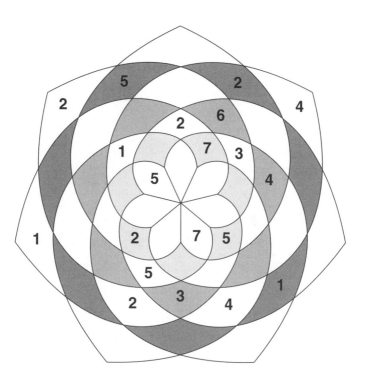

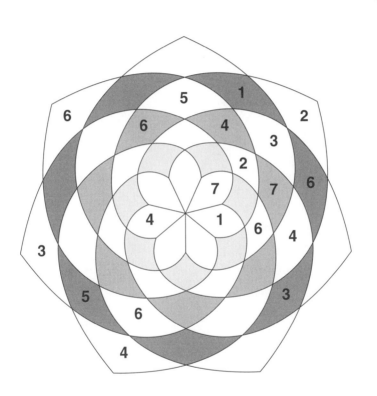

SOLUTIONS

SOLUTIONS

SUDOKU 1

2	8	4	6	1	9	7	5	3
7	3	6	2	5	4	8	1	9
9	1	5	3	7	8	6	2	4
6	2	8	4	3	5	9	7	1
4	5	1	7	9	6	3	8	2
3	9	7	1	8	2	4	6	5
8	4	3	5	6	1	2	9	7
5	7	9	8	2	3	1	4	6
1	6	2	9	4	7	5	3	8

SUDOKU 5

4	8	6	3	1	5	9	7	2
5	7	9	4	2	8	6	3	1
3	2	1	7	9	6	4	5	8
8	5	2	9	6	4	3	1	7
6	9	3	8	7	1	2	4	5
7	1	4	5	3	2	8	9	6
1	6	7	2	4	3	5	8	9
2	3	8	1	5	9	7	6	4
9	4	5	6	8	7	1	2	3

SUDOKU 2

9	5	4	7	8	6	3	1	2
2	3	1	4	9	5	7	8	6
6	8	7	2	1	3	5	9	4
5	9	6	1	3	2	8	4	7
4	7	2	6	5	8	9	3	1
3	1	8	9	7	4	6	2	5
1	6	5	3	2	9	4	7	8
7	4	9	8	6	1	2	5	3
8	2	3	5	4	7	1	6	9

SUDOKU 6

8	6	4	9	2	3	5	1	7
1	3	9	5	6	7	2	4	8
2	5	7	4	8	1	9	3	6
9	2	8	6	4	5	3	7	1
6	1	5	7	3	2	4	8	9
4	7	3	1	9	8	6	5	2
3	4	2	8	7	6	1	9	5
7	9	1	2	5	4	8	6	3
5	8	6	3	1	9	7	2	4

SUDOKU 3

8	4	9	1	3	5	7	2	6
3	7	5	6	9	2	8	1	4
2	1	6	4	8	7	9	5	3
9	2	1	3	5	8	6	4	7
6	5	3	9	7	4	2	8	1
7	8	4	2	6	1	3	9	5
5	3	2	7	1	9	4	6	8
1	9	7	8	4	6	5	3	2
4	6	8	5	2	3	1	7	9

SUDOKU 7

7	1	8	2	9	3	6	4	5
5	6	3	1	4	8	7	9	2
9	4	2	7	6	5	1	8	3
1	8	6	4	3	2	5	7	9
3	9	4	5	1	7	2	6	8
2	5	7	9	8	6	4	3	1
4	2	9	3	7	1	8	5	6
6	7	1	8	5	9	3	2	4
8	3	5	6	2	4	9	1	7

SUDOKU 4

5	9	7	4	8	2	6	1	3
4	3	8	1	6	7	5	2	9
1	2	6	9	3	5	8	4	7
8	5	3	6	9	1	2	7	4
7	6	4	8	2	3	9	5	1
2	1	9	5	7	4	3	6	8
9	7	5	2	4	8	1	3	6
3	8	1	7	5	6	4	9	2
6	4	2	3	1	9	7	8	5

SUDOKU 8

6	2	9	3	4	5	8	1	7
1	4	3	7	9	8	5	6	2
7	5	8	6	1	2	4	9	3
3	1	4	2	5	6	7	8	9
9	7	6	4	8	3	1	2	5
5	8	2	9	7	1	3	4	6
2	3	7	8	6	4	9	5	1
8	9	5	1	2	7	6	3	4
4	6	1	5	3	9	2	7	8

SOLUTIONS

SUDOKU 9

4	1	5	3	9	8	6	7	2
3	2	7	6	5	1	4	9	8
8	9	6	7	2	4	3	1	5
5	7	4	9	1	3	8	2	6
1	3	8	4	6	2	7	5	9
2	6	9	5	8	7	1	3	4
6	4	2	1	3	9	5	8	7
7	8	1	2	4	5	9	6	3
9	5	3	8	7	6	2	4	1

SUDOKU 13

7	1	3	5	9	6	2	8	4
4	2	6	1	8	3	9	7	5
5	8	9	7	4	2	3	1	6
9	3	7	8	5	1	4	6	2
1	4	2	3	6	9	7	5	8
6	5	8	2	7	4	1	3	9
2	7	5	4	1	8	6	9	3
8	9	4	6	3	7	5	2	1
3	6	1	9	2	5	8	4	7

SUDOKU 10

1	3	8	7	2	6	5	4	9
2	4	9	5	3	1	6	8	7
7	6	5	4	8	9	3	1	2
6	1	7	8	4	3	2	9	5
9	8	2	1	6	5	7	3	4
3	5	4	2	9	7	1	6	8
5	7	3	9	1	8	4	2	6
4	9	1	6	5	2	8	7	3
8	2	6	3	7	4	9	5	1

SUDOKU 14

4	5	2	7	1	3	9	8	6
8	3	1	2	9	6	7	4	5
6	9	7	8	5	4	3	1	2
2	1	9	3	7	8	6	5	4
7	8	6	5	4	9	1	2	3
3	4	5	1	6	2	8	9	7
5	7	3	9	2	1	4	6	8
1	6	8	4	3	5	2	7	9
9	2	4	6	8	7	5	3	1

SUDOKU 11

6	4	8	5	1	9	2	7	3
5	2	7	6	3	4	1	8	9
1	3	9	7	2	8	6	4	5
9	8	3	4	6	2	5	1	7
2	1	4	8	5	7	9	3	6
7	5	6	1	9	3	4	2	8
8	6	2	9	7	1	3	5	4
3	7	5	2	4	6	8	9	1
4	9	1	3	8	5	7	6	2

SUDOKU 15

9	5	3	8	4	2	7	1	6
7	8	1	3	9	6	4	2	5
2	4	6	1	5	7	3	8	9
8	2	5	9	1	4	6	7	3
6	7	9	5	2	3	1	4	8
3	1	4	6	7	8	9	5	2
4	6	8	7	3	5	2	9	1
1	3	2	4	8	9	5	6	7
5	9	7	2	6	1	8	3	4

SUDOKU 12

3	6	9	1	8	7	5	2	4
8	7	4	2	3	5	6	1	9
1	5	2	6	9	4	8	3	7
9	4	7	8	2	6	1	5	3
5	1	8	9	4	3	2	7	6
6	2	3	7	5	1	9	4	8
4	3	6	5	1	9	7	8	2
2	9	5	4	7	8	3	6	1
7	8	1	3	6	2	4	9	5

SUDOKU 16

8	4	6	9	5	1	7	3	2
7	3	2	6	4	8	5	1	9
1	9	5	7	2	3	4	8	6
3	5	1	2	6	7	8	9	4
4	2	9	8	1	5	3	6	7
6	8	7	4	3	9	1	2	5
5	6	8	3	9	4	2	7	1
9	7	4	1	8	2	6	5	3
2	1	3	5	7	6	9	4	8

SOLUTIONS

SUDOKU 17

7	3	4	5	8	1	2	9	6
5	9	6	3	2	4	8	7	1
1	2	8	6	9	7	3	5	4
2	7	5	1	3	8	4	6	9
6	1	3	9	4	2	5	8	7
4	8	9	7	5	6	1	3	2
9	4	1	8	6	5	7	2	3
3	5	7	2	1	9	6	4	8
8	6	2	4	7	3	9	1	5

SUDOKU 21

9	2	3	1	5	8	6	4	7
7	4	8	2	3	6	5	1	9
1	5	6	4	9	7	2	3	8
5	6	9	7	1	2	4	8	3
8	3	7	5	4	9	1	6	2
2	1	4	6	8	3	9	7	5
4	9	1	3	7	5	8	2	6
6	7	5	8	2	1	3	9	4
3	8	2	9	6	4	7	5	1

SUDOKU 18

3	7	2	1	8	9	5	6	4
4	1	5	6	7	3	9	2	8
8	6	9	5	2	4	1	3	7
2	8	1	4	9	6	3	7	5
7	9	6	3	5	8	2	4	1
5	4	3	2	1	7	6	8	9
1	5	8	7	3	2	4	9	6
6	3	7	9	4	1	8	5	2
9	2	4	8	6	5	7	1	3

SUDOKU 22

6	9	4	8	3	7	5	1	2
2	3	8	9	5	1	6	4	7
7	1	5	4	6	2	3	8	9
1	2	9	5	8	3	7	6	4
8	6	3	7	4	9	1	2	5
4	5	7	1	2	6	8	9	3
5	8	1	2	7	4	9	3	6
3	7	2	6	9	8	4	5	1
9	4	6	3	1	5	2	7	8

SUDOKU 19

1	6	8	4	2	5	7	3	9
7	4	2	9	3	8	5	1	6
3	9	5	7	1	6	8	4	2
9	8	4	1	6	7	3	2	5
6	7	1	3	5	2	4	9	8
5	2	3	8	9	4	1	6	7
2	5	7	6	4	3	9	8	1
8	3	9	2	7	1	6	5	4
4	1	6	5	8	9	2	7	3

SUDOKU 23

2	6	3	7	4	1	8	9	5
4	5	1	6	8	9	2	3	7
8	7	9	3	2	5	1	6	4
7	9	8	2	5	3	4	1	6
6	1	2	8	9	4	5	7	3
3	4	5	1	6	7	9	8	2
5	3	4	9	1	6	7	2	8
9	2	7	4	3	8	6	5	1
1	8	6	5	7	2	3	4	9

SUDOKU 20

5	1	7	4	8	2	9	6	3
3	6	8	1	9	7	4	5	2
4	2	9	5	3	6	1	8	7
8	3	4	9	2	5	7	1	6
9	7	6	3	1	8	2	4	5
2	5	1	7	6	4	8	3	9
6	9	2	8	4	3	5	7	1
7	8	3	2	5	1	6	9	4
1	4	5	6	7	9	3	2	8

SUDOKU 24

2	5	8	6	1	9	7	3	4
3	6	9	7	4	5	8	1	2
1	4	7	3	8	2	6	5	9
9	7	1	4	3	6	2	8	5
4	2	6	8	5	1	3	9	7
8	3	5	2	9	7	4	6	1
5	8	3	1	2	4	9	7	6
7	1	4	9	6	3	5	2	8
6	9	2	5	7	8	1	4	3

SOLUTIONS

SUDOKU 25

1	8	3	4	9	7	5	2	6
7	5	2	8	6	3	4	9	1
4	9	6	1	2	5	3	7	8
5	6	8	3	7	9	2	1	4
3	2	7	6	1	4	9	8	5
9	4	1	2	5	8	7	6	3
6	3	9	5	8	2	1	4	7
2	1	5	7	4	6	8	3	9
8	7	4	9	3	1	6	5	2

SUDOKU 29

8	2	9	1	6	5	4	7	3
6	3	5	4	7	2	1	8	9
1	7	4	3	8	9	2	5	6
4	1	7	8	9	6	5	3	2
5	9	2	7	1	3	6	4	8
3	8	6	5	2	4	7	9	1
2	5	1	9	3	7	8	6	4
7	6	3	2	4	8	9	1	5
9	4	8	6	5	1	3	2	7

SUDOKU 26

5	8	6	4	2	3	1	9	7
7	9	1	6	5	8	2	4	3
3	4	2	9	7	1	6	5	8
2	3	9	8	1	5	4	7	6
8	1	5	7	6	4	3	2	9
6	7	4	3	9	2	8	1	5
1	6	7	2	3	9	5	8	4
4	5	3	1	8	7	9	6	2
9	2	8	5	4	6	7	3	1

SUDOKU 30

5	1	4	8	6	2	9	7	3
7	3	9	4	1	5	2	8	6
8	6	2	3	7	9	5	1	4
2	7	3	9	4	1	6	5	8
6	9	5	7	8	3	4	2	1
1	4	8	2	5	6	7	3	9
4	5	7	1	9	8	3	6	2
9	2	1	6	3	7	8	4	5
3	8	6	5	2	4	1	9	7

SUDOKU 27

4	3	6	2	8	5	1	9	7
5	1	9	4	6	7	3	2	8
8	2	7	1	3	9	4	5	6
9	7	4	6	5	1	2	8	3
3	6	5	7	2	8	9	4	1
1	8	2	9	4	3	6	7	5
6	5	3	8	9	4	7	1	2
2	4	1	5	7	6	8	3	9
7	9	8	3	1	2	5	6	4

SUDOKU 31

6	7	1	4	3	2	8	5	9
9	2	8	1	5	7	6	4	3
3	5	4	9	8	6	7	2	1
1	4	5	8	6	3	9	7	2
7	3	6	2	4	9	5	1	8
2	8	9	5	7	1	4	3	6
8	1	3	7	9	5	2	6	4
5	9	2	6	1	4	3	8	7
4	6	7	3	2	8	1	9	5

SUDOKU 28

4	6	9	1	8	2	3	7	5
3	8	1	5	9	7	4	6	2
2	7	5	3	4	6	9	1	8
9	5	2	8	6	1	7	4	3
8	4	3	9	7	5	1	2	6
7	1	6	4	2	3	5	8	9
1	2	4	6	3	9	8	5	7
6	9	8	7	5	4	2	3	1
5	3	7	2	1	8	6	9	4

SUDOKU 32

7	9	5	6	2	4	3	8	1
8	2	4	9	3	1	6	5	7
1	3	6	5	8	7	2	4	9
3	4	2	8	9	5	7	1	6
6	8	7	1	4	3	9	2	5
9	5	1	7	6	2	8	3	4
4	6	9	3	5	8	1	7	2
5	1	3	2	7	9	4	6	8
2	7	8	4	1	6	5	9	3

SOLUTIONS

SUDOKU 33

2	3	8	9	5	7	6	4	1
9	1	6	3	4	2	8	5	7
7	4	5	8	6	1	3	2	9
6	2	3	4	9	8	1	7	5
1	8	4	7	2	5	9	3	6
5	9	7	6	1	3	4	8	2
4	5	2	1	8	9	7	6	3
3	6	9	2	7	4	5	1	8
8	7	1	5	3	6	2	9	4

SUDOKU 37

6	7	5	1	3	9	2	8	4
3	9	4	2	7	8	5	6	1
1	2	8	5	4	6	9	7	3
9	4	6	3	1	7	8	5	2
5	8	2	9	6	4	1	3	7
7	3	1	8	5	2	4	9	6
4	5	7	6	9	1	3	2	8
2	1	3	7	8	5	6	4	9
8	6	9	4	2	3	7	1	5

SUDOKU 34

7	5	8	3	4	6	1	2	9
2	4	9	5	1	7	3	8	6
6	3	1	2	8	9	4	7	5
8	2	5	7	9	1	6	3	4
3	9	7	4	6	2	5	1	8
1	6	4	8	3	5	2	9	7
5	7	6	9	2	3	8	4	1
9	8	3	1	5	4	7	6	2
4	1	2	6	7	8	9	5	3

SUDOKU 38

7	2	4	6	5	8	9	1	3
1	9	3	4	2	7	5	6	8
6	8	5	3	9	1	4	7	2
3	7	1	9	4	6	8	2	5
8	4	6	2	1	5	3	9	7
9	5	2	8	7	3	1	4	6
2	1	8	7	3	4	6	5	9
5	3	9	1	6	2	7	8	4
4	6	7	5	8	9	2	3	1

SUDOKU 35

1	8	7	2	9	4	3	6	5
9	2	5	3	1	6	8	4	7
4	6	3	7	8	5	9	2	1
3	9	8	1	4	2	7	5	6
6	5	4	9	7	3	2	1	8
7	1	2	5	6	8	4	3	9
5	7	1	4	3	9	6	8	2
2	4	6	8	5	7	1	9	3
8	3	9	6	2	1	5	7	4

SUDOKU 39

7	5	1	9	3	2	6	4	8
8	3	2	5	4	6	9	7	1
6	9	4	1	8	7	3	5	2
4	6	3	8	1	5	7	2	9
5	1	7	2	9	3	8	6	4
2	8	9	7	6	4	5	1	3
1	4	5	3	7	9	2	8	6
9	2	8	6	5	1	4	3	7
3	7	6	4	2	8	1	9	5

SUDOKU 36

8	4	5	1	3	7	9	6	2
9	6	1	2	4	5	8	3	7
3	7	2	6	9	8	1	4	5
1	9	4	8	6	2	7	5	3
2	5	8	9	7	3	6	1	4
7	3	6	5	1	4	2	9	8
5	2	9	4	8	1	3	7	6
6	8	3	7	5	9	4	2	1
4	1	7	3	2	6	5	8	9

SUDOKU 40

4	6	3	7	1	5	2	9	8
2	5	1	9	3	8	4	6	7
7	9	8	4	2	6	1	3	5
5	1	2	3	6	9	8	7	4
3	7	6	5	8	4	9	2	1
8	4	9	2	7	1	3	5	6
1	8	7	6	9	3	5	4	2
6	3	5	8	4	2	7	1	9
9	2	4	1	5	7	6	8	3

SOLUTIONS

SUDOKU 41

4	5	8	6	9	7	2	1	3
1	3	9	2	8	5	7	6	4
7	6	2	4	1	3	8	5	9
3	4	1	5	7	2	9	8	6
8	7	6	9	4	1	3	2	5
9	2	5	8	3	6	4	7	1
6	8	7	3	5	9	1	4	2
2	1	3	7	6	4	5	9	8
5	9	4	1	2	8	6	3	7

SUDOKU 45

6	7	8	9	5	2	1	4	3
2	4	5	1	3	8	9	6	7
1	9	3	7	6	4	8	5	2
4	6	1	2	9	3	5	7	8
8	5	7	4	1	6	2	3	9
3	2	9	5	8	7	6	1	4
9	8	4	6	7	5	3	2	1
7	1	6	3	2	9	4	8	5
5	3	2	8	4	1	7	9	6

SUDOKU 42

2	5	8	6	4	7	9	3	1
4	6	1	3	9	2	5	7	8
3	9	7	8	1	5	2	6	4
8	7	6	9	2	4	1	5	3
1	4	3	7	5	6	8	2	9
5	2	9	1	8	3	7	4	6
7	8	4	5	6	9	3	1	2
6	1	5	2	3	8	4	9	7
9	3	2	4	7	1	6	8	5

SUDOKU 46

6	4	2	3	8	7	9	5	1
1	8	9	4	6	5	3	2	7
3	5	7	9	1	2	4	8	6
9	7	8	1	2	6	5	3	4
5	6	1	8	4	3	7	9	2
4	2	3	7	5	9	1	6	8
8	1	5	2	9	4	6	7	3
7	9	4	6	3	8	2	1	5
2	3	6	5	7	1	8	4	9

SUDOKU 43

3	4	7	9	2	6	5	8	1
6	8	5	1	4	7	2	9	3
2	1	9	3	5	8	7	4	6
8	3	2	5	7	1	9	6	4
7	5	4	8	6	9	1	3	2
9	6	1	2	3	4	8	7	5
5	2	8	4	9	3	6	1	7
4	9	6	7	1	2	3	5	8
1	7	3	6	8	5	4	2	9

SUDOKU 47

2	8	6	1	7	4	9	5	3
4	5	3	8	6	9	2	1	7
7	1	9	3	5	2	6	8	4
6	3	4	2	8	1	5	7	9
1	9	7	6	4	5	3	2	8
8	2	5	7	9	3	4	6	1
9	6	2	4	1	8	7	3	5
5	7	8	9	3	6	1	4	2
3	4	1	5	2	7	8	9	6

SUDOKU 44

8	2	7	6	3	5	9	1	4
9	4	3	1	7	8	6	2	5
6	1	5	2	9	4	7	3	8
2	3	1	9	5	6	8	4	7
4	6	8	7	2	3	1	5	9
5	7	9	4	8	1	3	6	2
3	8	2	5	1	7	4	9	6
1	9	6	8	4	2	5	7	3
7	5	4	3	6	9	2	8	1

SUDOKU 48

2	9	5	7	6	8	1	3	4
7	6	4	3	2	1	8	5	9
3	8	1	4	9	5	7	6	2
8	7	9	2	5	4	3	1	6
6	4	3	8	1	9	5	2	7
5	1	2	6	7	3	9	4	8
1	2	7	9	3	6	4	8	5
9	5	8	1	4	2	6	7	3
4	3	6	5	8	7	2	9	1

SOLUTIONS

SUDOKU 49

9	2	5	8	6	4	7	1	3
4	8	3	7	9	1	5	2	6
7	1	6	5	2	3	9	4	8
5	3	1	4	8	9	2	6	7
6	9	7	3	1	2	4	8	5
2	4	8	6	7	5	3	9	1
1	6	9	2	5	7	8	3	4
8	7	4	9	3	6	1	5	2
3	5	2	1	4	8	6	7	9

SUDOKU 53

1	6	9	3	2	8	5	4	7
4	2	8	7	9	5	1	3	6
5	3	7	1	4	6	9	2	8
7	1	5	9	8	3	4	6	2
8	9	2	6	7	4	3	1	5
3	4	6	2	5	1	7	8	9
6	7	4	8	3	9	2	5	1
2	8	3	5	1	7	6	9	4
9	5	1	4	6	2	8	7	3

SUDOKU 50

5	6	1	9	2	8	7	4	3
9	7	8	3	5	4	6	1	2
3	2	4	7	6	1	5	9	8
7	4	6	2	1	5	8	3	9
1	3	9	4	8	7	2	5	6
2	8	5	6	3	9	4	7	1
8	1	3	5	7	2	9	6	4
4	5	2	1	9	6	3	8	7
6	9	7	8	4	3	1	2	5

SUDOKU 54

3	7	8	4	6	9	2	1	5
9	5	2	8	3	1	6	4	7
1	4	6	2	7	5	8	3	9
6	3	4	5	8	7	1	9	2
2	8	1	6	9	3	5	7	4
7	9	5	1	2	4	3	8	6
8	6	9	7	1	2	4	5	3
4	2	7	3	5	8	9	6	1
5	1	3	9	4	6	7	2	8

SUDOKU 51

5	2	9	3	6	8	1	7	4
3	7	6	2	4	1	5	9	8
1	8	4	7	9	5	3	2	6
6	1	3	5	8	7	9	4	2
8	4	5	9	2	3	7	6	1
2	9	7	4	1	6	8	3	5
9	5	1	6	7	2	4	8	3
7	6	8	1	3	4	2	5	9
4	3	2	8	5	9	6	1	7

SUDOKU 55

1	2	3	8	7	5	6	9	4
7	4	6	2	3	9	5	8	1
5	9	8	1	6	4	3	2	7
2	7	5	4	9	3	1	6	8
4	6	9	5	8	1	7	3	2
8	3	1	6	2	7	4	5	9
3	8	4	9	1	6	2	7	5
9	5	7	3	4	2	8	1	6
6	1	2	7	5	8	9	4	3

SUDOKU 52

4	9	2	3	7	6	8	1	5
1	7	5	8	4	9	2	6	3
8	6	3	5	2	1	7	4	9
5	4	8	1	6	2	9	3	7
9	3	6	7	8	4	5	2	1
2	1	7	9	3	5	6	8	4
3	2	1	6	5	7	4	9	8
7	8	4	2	9	3	1	5	6
6	5	9	4	1	8	3	7	2

SUDOKU 56

8	7	5	9	6	3	2	4	1
9	2	3	7	1	4	6	8	5
4	6	1	8	2	5	3	7	9
1	3	9	4	5	6	7	2	8
6	5	2	3	8	7	9	1	4
7	4	8	2	9	1	5	3	6
5	9	4	1	3	2	8	6	7
3	1	6	5	7	8	4	9	2
2	8	7	6	4	9	1	5	3

SOLUTIONS

SUDOKU 57

6	5	7	1	3	4	2	9	8
1	2	8	6	9	7	5	3	4
9	3	4	2	8	5	7	1	6
5	8	2	4	1	3	9	6	7
7	9	1	8	6	2	3	4	5
3	4	6	7	5	9	8	2	1
4	1	9	5	2	8	6	7	3
2	7	5	3	4	6	1	8	9
8	6	3	9	7	1	4	5	2

SUDOKU 61

2	9	5	7	3	6	4	1	8
1	4	3	5	2	8	9	7	6
7	6	8	1	4	9	3	2	5
3	1	4	2	8	7	6	5	9
5	8	7	6	9	1	2	4	3
6	2	9	3	5	4	1	8	7
9	5	2	8	1	3	7	6	4
8	3	6	4	7	2	5	9	1
4	7	1	9	6	5	8	3	2

SUDOKU 58

3	2	8	9	7	1	5	4	6
4	9	7	8	6	5	2	3	1
5	6	1	3	4	2	7	9	8
2	4	5	6	1	9	8	7	3
7	3	6	5	2	8	9	1	4
1	8	9	4	3	7	6	5	2
9	5	3	1	8	6	4	2	7
6	7	4	2	9	3	1	8	5
8	1	2	7	5	4	3	6	9

SUDOKU 62

4	3	8	6	2	7	5	9	1
1	2	9	4	5	8	6	7	3
5	6	7	1	9	3	2	4	8
9	4	3	2	8	6	7	1	5
6	8	5	7	1	9	3	2	4
2	7	1	3	4	5	8	6	9
8	9	6	5	7	1	4	3	2
7	5	4	9	3	2	1	8	6
3	1	2	8	6	4	9	5	7

SUDOKU 59

3	5	9	1	8	6	4	2	7
2	1	6	9	7	4	5	8	3
7	4	8	2	5	3	6	9	1
1	7	4	6	9	2	8	3	5
9	6	5	3	1	8	7	4	2
8	3	2	5	4	7	1	6	9
6	9	1	8	2	5	3	7	4
5	8	7	4	3	9	2	1	6
4	2	3	7	6	1	9	5	8

SUDOKU 63

3	7	9	5	8	4	6	2	1
5	8	1	2	3	6	9	4	7
4	6	2	7	9	1	5	8	3
9	3	6	8	2	5	7	1	4
2	1	5	4	7	9	8	3	6
8	4	7	6	1	3	2	9	5
6	9	4	1	5	2	3	7	8
7	5	3	9	4	8	1	6	2
1	2	8	3	6	7	4	5	9

SUDOKU 60

1	8	5	2	9	7	4	3	6
4	7	6	3	8	5	2	9	1
2	9	3	6	1	4	7	8	5
9	1	7	4	6	8	3	5	2
3	5	4	7	2	9	1	6	8
8	6	2	5	3	1	9	7	4
7	2	1	9	5	6	8	4	3
5	3	9	8	4	2	6	1	7
6	4	8	1	7	3	5	2	9

SUDOKU 64

3	2	5	1	8	6	9	4	7
1	8	7	5	4	9	3	6	2
9	6	4	2	3	7	1	5	8
8	7	1	4	9	2	5	3	6
5	3	6	8	7	1	4	2	9
4	9	2	3	6	5	8	7	1
2	5	8	7	1	3	6	9	4
6	1	3	9	2	4	7	8	5
7	4	9	6	5	8	2	1	3

SOLUTIONS

SUDOKU 65

7	9	5	3	8	6	2	1	4
3	4	2	7	1	5	9	6	8
8	6	1	9	4	2	5	7	3
4	2	8	5	6	1	7	3	9
1	5	9	8	3	7	6	4	2
6	3	7	4	2	9	1	8	5
2	8	6	1	5	3	4	9	7
5	7	4	6	9	8	3	2	1
9	1	3	2	7	4	8	5	6

SUDOKU 69

3	2	8	7	1	9	5	6	4
6	1	4	8	5	2	9	7	3
7	5	9	4	3	6	2	8	1
8	6	7	9	4	1	3	2	5
4	3	5	6	2	7	8	1	9
1	9	2	5	8	3	6	4	7
9	7	1	2	6	5	4	3	8
5	4	6	3	7	8	1	9	2
2	8	3	1	9	4	7	5	6

SUDOKU 66

3	9	5	2	7	1	8	6	4
8	1	7	4	5	6	9	2	3
4	2	6	9	8	3	7	5	1
2	7	3	5	1	8	4	9	6
1	8	4	6	9	2	5	3	7
5	6	9	3	4	7	2	1	8
7	5	1	8	6	9	3	4	2
6	4	2	7	3	5	1	8	9
9	3	8	1	2	4	6	7	5

SUDOKU 70

1	2	7	5	3	9	8	4	6
9	4	5	6	8	1	2	3	7
6	3	8	4	2	7	5	9	1
2	6	9	7	1	8	4	5	3
4	8	1	3	6	5	7	2	9
7	5	3	9	4	2	1	6	8
8	1	6	2	5	3	9	7	4
3	7	2	1	9	4	6	8	5
5	9	4	8	7	6	3	1	2

SUDOKU 67

3	1	8	5	7	4	9	2	6
9	6	5	8	2	1	4	7	3
7	4	2	6	9	3	5	1	8
8	7	3	1	6	9	2	5	4
6	5	9	3	4	2	1	8	7
4	2	1	7	8	5	6	3	9
2	3	4	9	5	7	8	6	1
1	9	6	2	3	8	7	4	5
5	8	7	4	1	6	3	9	2

SUDOKU 71

4	5	9	8	2	7	1	3	6
7	1	8	3	5	6	9	2	4
6	2	3	4	9	1	8	7	5
1	3	6	2	8	4	5	9	7
5	9	2	7	6	3	4	8	1
8	7	4	9	1	5	2	6	3
3	8	7	1	4	9	6	5	2
2	4	5	6	3	8	7	1	9
9	6	1	5	7	2	3	4	8

SUDOKU 68

6	8	3	1	4	2	7	5	9
4	1	7	6	9	5	2	3	8
2	9	5	3	8	7	1	6	4
5	2	4	9	7	1	3	8	6
8	6	1	2	5	3	9	4	7
3	7	9	4	6	8	5	1	2
9	4	2	5	3	6	8	7	1
7	5	6	8	1	9	4	2	3
1	3	8	7	2	4	6	9	5

SUDOKU 72

8	1	3	9	5	6	2	4	7
6	5	7	4	3	2	1	8	9
2	9	4	1	7	8	6	3	5
4	3	5	7	2	1	8	9	6
1	8	9	5	6	3	4	7	2
7	2	6	8	9	4	5	1	3
3	7	1	6	8	5	9	2	4
9	6	8	2	4	7	3	5	1
5	4	2	3	1	9	7	6	8

SOLUTIONS

SUDOKU 73

2	1	5	4	8	3	7	6	9
4	9	8	1	7	6	2	5	3
6	3	7	5	9	2	4	8	1
8	5	1	9	2	7	6	3	4
9	2	3	6	4	5	8	1	7
7	4	6	3	1	8	5	9	2
3	8	2	7	6	1	9	4	5
1	6	4	2	5	9	3	7	8
5	7	9	8	3	4	1	2	6

SUDOKU 77

2	3	7	5	8	6	4	1	9
6	1	5	2	9	4	7	8	3
9	8	4	7	3	1	2	5	6
8	9	1	3	4	2	5	6	7
3	5	2	6	1	7	9	4	8
7	4	6	9	5	8	1	3	2
5	7	8	1	2	3	6	9	4
1	2	3	4	6	9	8	7	5
4	6	9	8	7	5	3	2	1

SUDOKU 74

9	7	2	1	8	3	5	6	4
3	6	4	7	2	5	1	8	9
5	1	8	9	6	4	3	7	2
6	9	5	2	4	1	7	3	8
7	4	3	8	5	9	2	1	6
2	8	1	6	3	7	9	4	5
1	2	6	5	7	8	4	9	3
4	5	9	3	1	6	8	2	7
8	3	7	4	9	2	6	5	1

SUDOKU 78

3	1	8	5	6	7	2	9	4
6	2	5	9	4	3	1	7	8
9	4	7	1	2	8	5	3	6
2	7	6	8	3	9	4	1	5
1	9	3	4	5	6	8	2	7
5	8	4	2	7	1	3	6	9
8	3	2	6	9	5	7	4	1
7	5	9	3	1	4	6	8	2
4	6	1	7	8	2	9	5	3

SUDOKU 75

8	5	2	3	6	1	7	4	9
1	4	3	7	5	9	2	8	6
6	9	7	2	4	8	1	3	5
9	8	4	5	2	6	3	1	7
3	1	6	9	7	4	5	2	8
7	2	5	1	8	3	9	6	4
2	6	9	4	1	7	8	5	3
4	7	1	8	3	5	6	9	2
5	3	8	6	9	2	4	7	1

SUDOKU 79

7	8	5	6	2	9	4	3	1
4	3	1	8	5	7	9	2	6
9	6	2	4	1	3	8	5	7
3	2	8	5	6	4	7	1	9
6	4	7	2	9	1	5	8	3
5	1	9	7	3	8	6	4	2
1	5	3	9	8	6	2	7	4
8	7	6	1	4	2	3	9	5
2	9	4	3	7	5	1	6	8

SUDOKU 76

5	7	1	6	3	4	8	9	2
8	3	9	7	1	2	5	4	6
2	4	6	5	8	9	7	3	1
7	8	2	9	5	3	1	6	4
3	1	5	4	6	8	9	2	7
6	9	4	2	7	1	3	8	5
9	5	3	1	4	6	2	7	8
4	2	7	8	9	5	6	1	3
1	6	8	3	2	7	4	5	9

SUDOKU 80

8	5	7	4	6	9	1	3	2
3	9	4	1	8	2	6	5	7
1	2	6	7	3	5	8	9	4
7	4	5	2	9	8	3	1	6
6	8	3	5	7	1	2	4	9
2	1	9	6	4	3	5	7	8
9	6	8	3	1	7	4	2	5
5	7	1	8	2	4	9	6	3
4	3	2	9	5	6	7	8	1

SOLUTIONS

SUDOKU 81

9	5	1	7	6	3	4	8	2
6	8	2	9	4	1	5	3	7
3	4	7	5	8	2	6	1	9
5	7	6	4	3	8	9	2	1
4	1	9	2	5	7	8	6	3
2	3	8	1	9	6	7	5	4
7	6	4	3	1	5	2	9	8
8	9	3	6	2	4	1	7	5
1	2	5	8	7	9	3	4	6

SUDOKU 85

2	8	9	6	3	5	4	1	7
7	3	4	9	1	2	6	8	5
1	6	5	8	4	7	2	3	9
8	5	1	4	6	3	9	7	2
6	9	3	7	2	8	5	4	1
4	7	2	1	5	9	8	6	3
5	4	6	2	7	1	3	9	8
9	2	7	3	8	4	1	5	6
3	1	8	5	9	6	7	2	4

SUDOKU 82

3	4	1	9	2	6	8	5	7
2	9	5	8	7	1	3	6	4
6	7	8	3	5	4	1	9	2
5	2	9	4	1	3	6	7	8
7	8	6	2	9	5	4	1	3
1	3	4	7	6	8	5	2	9
4	1	7	6	3	9	2	8	5
9	6	3	5	8	2	7	4	1
8	5	2	1	4	7	9	3	6

SUDOKU 86

9	5	7	8	3	2	6	1	4
3	8	1	5	4	6	2	7	9
2	6	4	1	7	9	3	8	5
4	9	5	3	2	7	8	6	1
6	7	3	4	1	8	5	9	2
8	1	2	9	6	5	4	3	7
5	4	9	7	8	3	1	2	6
7	2	8	6	5	1	9	4	3
1	3	6	2	9	4	7	5	8

SUDOKU 83

4	6	9	3	1	8	2	5	7
5	8	3	4	7	2	9	1	6
1	7	2	9	5	6	8	3	4
7	2	1	5	4	9	3	6	8
8	9	4	6	3	1	5	7	2
6	3	5	8	2	7	1	4	9
9	5	8	7	6	3	4	2	1
2	4	6	1	8	5	7	9	3
3	1	7	2	9	4	6	8	5

SUDOKU 87

9	6	2	4	3	5	1	8	7
7	3	5	8	2	1	9	4	6
1	8	4	7	9	6	3	5	2
8	1	3	2	6	7	5	9	4
2	5	7	3	4	9	6	1	8
4	9	6	1	5	8	2	7	3
5	4	9	6	8	2	7	3	1
6	7	8	5	1	3	4	2	9
3	2	1	9	7	4	8	6	5

SUDOKU 84

9	3	4	5	1	8	6	7	2
5	8	7	6	2	9	3	4	1
2	6	1	4	7	3	5	9	8
4	7	9	8	6	1	2	5	3
3	5	8	2	9	7	4	1	6
6	1	2	3	5	4	9	8	7
8	9	6	7	3	5	1	2	4
1	4	3	9	8	2	7	6	5
7	2	5	1	4	6	8	3	9

SUDOKU 88

9	7	2	3	8	5	6	1	4
1	6	4	9	2	7	8	3	5
3	8	5	1	4	6	7	2	9
8	1	6	5	9	2	3	4	7
4	2	7	6	3	1	5	9	8
5	3	9	4	7	8	1	6	2
2	9	8	7	6	3	4	5	1
7	5	3	2	1	4	9	8	6
6	4	1	8	5	9	2	7	3

SOLUTIONS

SUDOKU 89

4	6	3	7	1	5	2	9	8
1	2	9	4	6	8	5	3	7
5	7	8	3	9	2	4	1	6
8	9	4	6	2	3	7	5	1
3	5	2	1	8	7	9	6	4
6	1	7	5	4	9	3	8	2
9	8	1	2	5	4	6	7	3
2	3	5	8	7	6	1	4	9
7	4	6	9	3	1	8	2	5

SUDOKU 93

2	8	4	1	9	5	7	3	6
3	5	1	6	8	7	9	4	2
7	9	6	2	3	4	8	5	1
9	7	2	4	5	8	1	6	3
5	1	3	9	6	2	4	7	8
4	6	8	3	7	1	2	9	5
1	2	5	7	4	6	3	8	9
8	4	9	5	2	3	6	1	7
6	3	7	8	1	9	5	2	4

SUDOKU 90

7	2	8	4	3	5	1	6	9
3	9	1	2	6	7	4	5	8
5	6	4	1	8	9	2	3	7
8	4	2	5	9	3	6	7	1
6	1	3	7	4	8	5	9	2
9	5	7	6	2	1	3	8	4
1	8	5	3	7	4	9	2	6
4	7	6	9	5	2	8	1	3
2	3	9	8	1	6	7	4	5

SUDOKU 94

4	8	2	1	6	5	7	9	3
6	1	9	3	7	2	8	4	5
5	7	3	4	8	9	1	2	6
9	5	1	2	4	6	3	7	8
3	4	7	9	5	8	2	6	1
8	2	6	7	3	1	4	5	9
7	9	4	6	1	3	5	8	2
2	3	8	5	9	7	6	1	4
1	6	5	8	2	4	9	3	7

SUDOKU 91

3	6	7	2	4	8	9	5	1
8	2	4	9	1	5	7	3	6
1	9	5	7	3	6	4	2	8
9	7	8	4	5	3	6	1	2
2	1	3	6	9	7	8	4	5
4	5	6	1	8	2	3	7	9
7	3	2	5	6	9	1	8	4
6	8	1	3	2	4	5	9	7
5	4	9	8	7	1	2	6	3

SUDOKU 95

7	5	1	3	9	6	8	2	4
6	4	3	7	2	8	5	9	1
9	2	8	4	5	1	6	7	3
3	8	4	1	7	9	2	6	5
2	9	7	5	6	4	3	1	8
5	1	6	8	3	2	7	4	9
8	7	9	6	1	5	4	3	2
4	3	2	9	8	7	1	5	6
1	6	5	2	4	3	9	8	7

SUDOKU 92

3	8	7	1	9	5	2	4	6
2	6	5	3	4	8	1	9	7
1	9	4	2	6	7	5	8	3
9	4	2	8	1	3	7	6	5
8	1	6	7	5	4	3	2	9
5	7	3	9	2	6	4	1	8
6	5	8	4	7	1	9	3	2
4	3	9	5	8	2	6	7	1
7	2	1	6	3	9	8	5	4

SUDOKU 96

3	4	7	5	1	9	8	6	2
5	1	8	7	2	6	3	9	4
6	9	2	3	4	8	7	5	1
1	2	4	9	7	3	6	8	5
8	7	5	2	6	4	1	3	9
9	3	6	1	8	5	2	4	7
4	8	1	6	9	2	5	7	3
7	6	3	4	5	1	9	2	8
2	5	9	8	3	7	4	1	6

SOLUTIONS

SUDOKU 97

4	2	8	3	6	7	9	1	5
5	7	6	4	9	1	3	2	8
9	1	3	5	2	8	4	6	7
6	4	7	9	1	2	5	8	3
3	8	1	7	5	4	2	9	6
2	5	9	8	3	6	1	7	4
7	9	4	2	8	3	6	5	1
8	6	2	1	4	5	7	3	9
1	3	5	6	7	9	8	4	2

SUDOKU 101

3	5	7	2	6	4	1	8	9
6	1	2	8	7	9	3	5	4
9	4	8	1	5	3	2	6	7
8	3	5	7	9	2	6	4	1
7	9	4	6	3	1	5	2	8
1	2	6	5	4	8	9	7	3
4	8	1	9	2	6	7	3	5
2	7	9	3	8	5	4	1	6
5	6	3	4	1	7	8	9	2

SUDOKU 98

7	9	1	2	3	6	5	8	4
8	4	6	5	7	1	3	9	2
2	3	5	4	8	9	7	1	6
5	2	3	9	4	7	8	6	1
4	6	7	1	2	8	9	3	5
9	1	8	6	5	3	4	2	7
1	7	4	3	9	2	6	5	8
6	5	9	8	1	4	2	7	3
3	8	2	7	6	5	1	4	9

SUDOKU 102

4	8	2	1	6	9	3	5	7
1	6	3	7	5	2	4	9	8
5	7	9	4	8	3	1	2	6
8	9	7	3	4	1	2	6	5
2	4	1	6	9	5	8	7	3
6	3	5	2	7	8	9	1	4
7	2	4	8	1	6	5	3	9
3	5	6	9	2	4	7	8	1
9	1	8	5	3	7	6	4	2

SUDOKU 99

5	6	8	9	2	4	7	1	3
4	1	7	6	3	8	2	9	5
9	2	3	7	1	5	4	8	6
7	9	1	8	4	6	3	5	2
8	5	4	2	7	3	1	6	9
6	3	2	1	5	9	8	7	4
2	8	5	4	9	7	6	3	1
1	7	9	3	6	2	5	4	8
3	4	6	5	8	1	9	2	7

SUDOKU 103

2	4	1	5	3	9	8	6	7
3	8	5	6	4	7	9	2	1
7	9	6	8	2	1	3	4	5
4	2	8	7	5	3	6	1	9
5	6	7	9	1	8	2	3	4
1	3	9	2	6	4	7	5	8
6	7	3	1	8	5	4	9	2
9	5	4	3	7	2	1	8	6
8	1	2	4	9	6	5	7	3

SUDOKU 100

9	1	5	8	3	7	4	2	6
6	3	4	9	2	5	7	8	1
8	7	2	1	4	6	5	3	9
5	4	9	7	1	3	8	6	2
3	8	1	6	5	2	9	7	4
7	2	6	4	8	9	3	1	5
2	9	3	5	7	1	6	4	8
1	6	8	3	9	4	2	5	7
4	5	7	2	6	8	1	9	3

SUDOKU 104

4	3	8	2	5	1	7	6	9
1	9	7	6	4	8	5	2	3
6	5	2	3	7	9	4	1	8
3	8	9	7	1	5	6	4	2
5	4	6	8	2	3	9	7	1
7	2	1	4	9	6	3	8	5
8	1	5	9	6	4	2	3	7
2	6	3	5	8	7	1	9	4
9	7	4	1	3	2	8	5	6

SOLUTIONS

SUDOKU 105

7	9	2	8	3	4	1	5	6
8	6	1	5	2	7	3	4	9
4	3	5	6	9	1	7	2	8
2	7	4	3	5	9	8	6	1
9	8	3	2	1	6	5	7	4
5	1	6	4	7	8	2	9	3
6	2	7	1	4	3	9	8	5
3	5	8	9	6	2	4	1	7
1	4	9	7	8	5	6	3	2

SUDOKU 109

8	3	7	2	9	4	6	5	1
5	9	1	8	6	7	2	3	4
4	6	2	5	1	3	9	7	8
7	1	3	9	8	6	4	2	5
6	4	8	7	5	2	1	9	3
9	2	5	4	3	1	8	6	7
3	5	9	6	4	8	7	1	2
1	7	4	3	2	9	5	8	6
2	8	6	1	7	5	3	4	9

SUDOKU 106

4	8	7	3	2	1	9	6	5
5	2	3	6	9	4	8	7	1
9	6	1	5	8	7	3	2	4
8	1	9	4	5	6	7	3	2
3	4	5	8	7	2	1	9	6
6	7	2	1	3	9	5	4	8
1	9	4	7	6	8	2	5	3
2	3	6	9	1	5	4	8	7
7	5	8	2	4	3	6	1	9

SUDOKU 110

2	9	4	7	8	6	5	3	1
8	5	3	1	4	9	7	2	6
1	7	6	3	5	2	8	4	9
6	8	7	9	1	4	2	5	3
5	3	1	2	7	8	6	9	4
4	2	9	6	3	5	1	8	7
7	1	8	5	9	3	4	6	2
3	4	2	8	6	7	9	1	5
9	6	5	4	2	1	3	7	8

SUDOKU 107

9	4	8	3	1	6	2	5	7
2	7	3	5	4	8	9	6	1
5	1	6	7	2	9	8	4	3
3	6	9	2	5	7	4	1	8
8	5	1	4	9	3	7	2	6
4	2	7	8	6	1	5	3	9
7	8	5	6	3	2	1	9	4
6	9	2	1	7	4	3	8	5
1	3	4	9	8	5	6	7	2

SUDOKU 111

1	5	6	8	2	7	9	3	4
9	7	8	4	6	3	1	2	5
3	2	4	5	9	1	8	6	7
2	3	5	1	4	6	7	8	9
4	9	1	3	7	8	2	5	6
6	8	7	9	5	2	3	4	1
5	1	2	6	3	9	4	7	8
8	6	3	7	1	4	5	9	2
7	4	9	2	8	5	6	1	3

SUDOKU 108

4	6	9	2	8	5	3	1	7
3	8	1	6	7	9	4	5	2
5	2	7	1	4	3	8	9	6
2	1	8	3	9	4	7	6	5
6	5	4	7	2	8	1	3	9
9	7	3	5	6	1	2	4	8
1	4	6	8	5	2	9	7	3
8	3	5	9	1	7	6	2	4
7	9	2	4	3	6	5	8	1

SUDOKU 112

7	2	5	3	8	6	9	1	4
9	8	3	4	5	1	7	6	2
1	4	6	9	2	7	5	8	3
8	5	7	1	6	2	3	4	9
3	6	2	8	9	4	1	5	7
4	9	1	5	7	3	6	2	8
6	3	4	2	1	9	8	7	5
2	1	8	7	3	5	4	9	6
5	7	9	6	4	8	2	3	1

SOLUTIONS

SUDOKU 113

8	6	4	7	2	1	5	9	3
9	7	3	6	5	8	2	1	4
2	5	1	3	9	4	8	7	6
4	2	5	9	3	6	7	8	1
7	1	9	4	8	2	3	6	5
6	3	8	1	7	5	4	2	9
5	9	7	2	6	3	1	4	8
3	4	2	8	1	9	6	5	7
1	8	6	5	4	7	9	3	2

SUDOKU 117

5	1	9	6	8	3	7	2	4
4	2	8	7	1	9	3	6	5
7	6	3	2	4	5	9	1	8
8	7	2	3	9	1	4	5	6
3	9	1	5	6	4	8	7	2
6	4	5	8	7	2	1	9	3
1	3	7	4	5	6	2	8	9
9	5	4	1	2	8	6	3	7
2	8	6	9	3	7	5	4	1

SUDOKU 114

6	4	9	7	8	2	3	1	5
7	3	2	1	5	4	8	9	6
5	1	8	6	3	9	4	2	7
1	6	5	8	4	3	9	7	2
4	9	3	2	7	1	5	6	8
2	8	7	5	9	6	1	3	4
3	2	1	4	6	8	7	5	9
9	7	4	3	2	5	6	8	1
8	5	6	9	1	7	2	4	3

SUDOKU 118

6	5	4	1	3	2	8	7	9
8	3	2	6	7	9	5	4	1
1	9	7	8	5	4	3	2	6
4	1	6	7	2	5	9	3	8
5	8	9	4	1	3	7	6	2
7	2	3	9	8	6	4	1	5
2	4	5	3	6	8	1	9	7
3	6	1	5	9	7	2	8	4
9	7	8	2	4	1	6	5	3

SUDOKU 115

6	2	3	1	4	8	9	7	5
9	7	1	5	2	3	4	6	8
4	5	8	6	7	9	1	2	3
1	6	9	8	5	7	3	4	2
2	8	5	3	6	4	7	9	1
3	4	7	2	9	1	8	5	6
8	9	2	4	3	5	6	1	7
7	3	6	9	1	2	5	8	4
5	1	4	7	8	6	2	3	9

SUDOKU 119

4	5	7	3	2	1	6	9	8
9	2	8	5	7	6	4	1	3
1	3	6	4	9	8	7	5	2
3	8	2	7	5	4	9	6	1
7	6	9	1	3	2	8	4	5
5	4	1	8	6	9	2	3	7
8	1	5	6	4	7	3	2	9
2	7	4	9	1	3	5	8	6
6	9	3	2	8	5	1	7	4

SUDOKU 116

4	3	6	9	8	1	7	2	5
7	8	5	6	4	2	3	1	9
1	9	2	3	5	7	4	6	8
8	6	7	5	1	4	2	9	3
5	4	3	8	2	9	6	7	1
2	1	9	7	6	3	5	8	4
6	5	1	2	3	8	9	4	7
9	2	8	4	7	5	1	3	6
3	7	4	1	9	6	8	5	2

SUDOKU 120

2	4	1	5	8	3	6	9	7
5	3	6	9	7	2	8	4	1
9	8	7	4	1	6	3	2	5
8	6	2	7	4	9	1	5	3
3	9	5	8	2	1	7	6	4
7	1	4	3	6	5	9	8	2
1	2	3	6	5	8	4	7	9
6	7	9	2	3	4	5	1	8
4	5	8	1	9	7	2	3	6

SOLUTIONS

SUDOKU 121

9	7	4	1	8	3	5	6	2
8	2	3	5	6	4	1	7	9
5	6	1	7	9	2	4	3	8
1	9	5	3	2	8	6	4	7
6	3	2	4	1	7	8	9	5
4	8	7	6	5	9	3	2	1
3	4	8	2	7	5	9	1	6
2	1	9	8	3	6	7	5	4
7	5	6	9	4	1	2	8	3

SUDOKU 125

6	9	1	5	4	3	2	8	7
5	2	8	1	7	6	3	9	4
7	4	3	8	9	2	1	5	6
1	6	5	4	8	9	7	2	3
9	7	2	6	3	1	5	4	8
3	8	4	2	5	7	9	6	1
8	5	9	3	1	4	6	7	2
2	1	7	9	6	8	4	3	5
4	3	6	7	2	5	8	1	9

SUDOKU 122

2	5	6	4	1	8	3	7	9
8	3	9	7	2	6	5	4	1
7	4	1	3	5	9	8	2	6
4	9	2	6	7	5	1	3	8
5	7	3	9	8	1	2	6	4
6	1	8	2	4	3	7	9	5
3	8	4	5	6	7	9	1	2
1	6	7	8	9	2	4	5	3
9	2	5	1	3	4	6	8	7

SUDOKU 126

2	1	9	8	6	5	3	7	4
7	3	6	4	1	2	8	9	5
4	5	8	3	7	9	1	2	6
8	7	2	5	3	6	4	1	9
9	6	5	1	8	4	2	3	7
3	4	1	2	9	7	5	6	8
6	2	3	7	4	8	9	5	1
5	8	7	9	2	1	6	4	3
1	9	4	6	5	3	7	8	2

SUDOKU 123

9	5	3	7	1	8	2	4	6
2	1	8	9	6	4	3	5	7
6	4	7	5	2	3	1	8	9
3	8	5	4	9	1	6	7	2
1	2	4	6	7	5	9	3	8
7	9	6	8	3	2	5	1	4
8	7	2	1	5	6	4	9	3
4	3	1	2	8	9	7	6	5
5	6	9	3	4	7	8	2	1

SUDOKU 127

6	9	2	1	3	5	8	4	7
3	7	1	4	2	8	9	5	6
4	8	5	7	9	6	2	3	1
5	2	9	6	1	4	7	8	3
1	3	8	5	7	9	6	2	4
7	4	6	3	8	2	1	9	5
9	5	7	8	4	1	3	6	2
8	1	4	2	6	3	5	7	9
2	6	3	9	5	7	4	1	8

SUDOKU 124

4	1	8	6	5	9	2	7	3
3	2	6	7	1	4	5	9	8
9	7	5	3	8	2	6	4	1
7	4	3	9	2	6	1	8	5
2	5	1	4	3	8	7	6	9
8	6	9	1	7	5	3	2	4
1	9	2	5	4	7	8	3	6
6	3	7	8	9	1	4	5	2
5	8	4	2	6	3	9	1	7

SUDOKU 128

3	9	4	2	1	7	5	8	6
2	5	1	8	3	6	7	4	9
7	8	6	9	4	5	3	2	1
6	3	9	4	5	1	2	7	8
5	7	2	3	9	8	1	6	4
1	4	8	6	7	2	9	5	3
4	2	7	1	8	3	6	9	5
8	1	5	7	6	9	4	3	2
9	6	3	5	2	4	8	1	7

SOLUTIONS

SUDOKU 129

2	8	6	5	9	7	3	1	4
1	3	9	6	4	2	8	5	7
4	7	5	8	3	1	6	9	2
9	2	7	1	8	4	5	6	3
3	5	8	2	6	9	4	7	1
6	1	4	7	5	3	2	8	9
5	4	3	9	7	6	1	2	8
8	9	2	3	1	5	7	4	6
7	6	1	4	2	8	9	3	5

BINARY 133

1	0	0	1	1	0	1	0	0	1
0	1	1	0	0	1	0	0	1	1
1	1	0	1	1	0	0	1	0	0
0	0	1	0	1	0	1	1	0	1
1	0	0	1	0	1	1	0	1	0
0	1	1	0	0	1	0	1	1	0
1	1	0	0	1	0	1	0	0	1
1	0	0	1	1	0	0	1	1	0
0	0	1	1	0	1	0	1	1	0
0	1	1	0	0	1	1	0	0	1

SUDOKU 130

4	2	1	6	3	8	7	9	5
6	3	8	7	9	5	1	2	4
9	7	5	1	2	4	6	3	8
2	5	6	3	7	9	8	4	1
3	8	7	4	6	1	9	5	2
1	9	4	5	8	2	3	6	7
7	1	3	2	5	6	4	8	9
5	6	9	8	4	7	2	1	3
8	4	2	9	1	3	5	7	6

BINARY 134

0	1	0	1	0	1	1	0	1	0
0	1	1	0	1	0	0	1	0	1
1	0	0	1	1	0	0	1	1	0
1	0	1	0	0	1	1	0	0	1
0	1	1	0	1	1	0	0	1	0
1	0	0	1	0	0	1	1	0	1
0	1	1	0	1	0	1	1	0	0
1	0	0	1	0	1	0	0	1	1
0	1	0	1	0	1	1	0	0	1
1	0	1	0	1	0	0	1	1	0

BINARY 131

0	1	0	1	0	0	1	1	0	1
1	0	1	0	1	1	0	0	1	0
1	1	0	0	1	0	0	0	1	1
0	0	1	1	0	1	1	0	0	1
0	1	1	0	1	0	0	1	1	0
1	0	0	1	0	1	0	1	1	0
1	0	1	0	1	0	1	0	0	1
0	1	1	0	0	1	1	1	0	0
0	1	0	1	0	1	0	1	1	0
1	0	0	1	1	0	1	0	0	1

BINARY 135

1	0	1	0	1	1	0	1	0	0
0	0	1	0	1	0	1	1	0	1
1	1	0	1	0	1	0	0	1	0
0	0	1	0	1	1	0	0	1	1
0	0	1	1	0	0	1	1	0	1
1	1	0	0	1	0	1	0	1	0
0	1	0	1	0	1	0	1	1	0
1	0	1	0	0	1	1	0	0	1
0	1	0	1	1	0	0	1	0	1
1	1	0	1	0	0	1	0	1	0

BINARY 132

1	0	1	1	0	1	0	0	1	0
0	1	0	0	1	0	1	1	0	1
0	1	1	0	0	1	0	1	0	1
1	0	0	1	1	0	1	0	1	0
1	0	1	0	0	1	1	0	0	1
0	1	0	1	1	0	0	1	1	0
0	1	0	0	1	1	0	1	1	0
1	0	1	1	0	0	1	0	0	1
1	0	1	1	0	0	1	1	0	0
0	1	0	0	1	1	0	0	1	1

BINARY 136

0	0	1	1	0	1	0	1	0	1
0	0	1	1	0	1	1	0	1	0
1	1	0	0	1	0	0	1	0	1
0	1	0	0	1	1	0	0	1	1
1	0	0	1	1	0	0	1	1	0
0	0	1	0	1	0	1	0	1	1
1	1	0	1	0	1	0	1	0	0
1	1	0	1	0	0	1	0	1	0
0	0	1	0	1	1	0	1	0	1
1	1	0	0	1	0	1	0	1	0

BINARY 137

0	1	0	1	0	0	1	0	1	1
1	0	1	0	1	1	0	0	1	0
1	0	0	1	0	1	0	1	0	1
0	1	1	0	1	0	1	0	1	0
1	0	1	1	0	0	1	1	0	0
0	1	0	0	1	1	0	0	1	1
1	1	0	0	1	0	1	1	0	0
0	0	1	1	0	1	0	0	1	1
0	0	1	1	0	0	1	1	0	1
1	1	0	0	1	1	0	1	0	0

KAKURO 141

	1	3			9	1				
		9	5	8	7	6				
	1	8	2				2	3	9	
		7	1					2	8	
			4			6	1	2		
	1	2	3			8				
	4	9					9	2		
	2	8	1			5	1	2		
			4	8	9	7	6			
		2	1				3	9		

BINARY 138

0	1	0	0	1	1	0	1	0	1
1	0	1	0	1	0	1	0	1	0
1	0	1	1	0	1	0	1	0	0
0	1	0	1	0	0	1	1	0	1
0	0	1	0	1	1	0	0	1	1
1	1	0	1	0	1	0	0	1	0
0	0	1	1	0	0	1	1	0	1
1	1	0	0	1	0	1	0	0	1
0	0	1	0	1	1	0	1	1	0
1	1	0	1	0	0	1	0	1	0

KAKURO 142

	7	2	8	3			7	9		
		1	9	2	3	5	8			
		3		1	2	4				
4	6	5			1	3	5			
3	4				8	9				
1	7				9	7				
2	3	1			9	6	8			
	1	2	3		8					
3	5	4	2	1	7					
1	2		1	3	5	2				

BINARY 139

0	1	0	1	0	1	0	1	1	0
1	1	0	0	1	0	0	0	1	0
1	0	1	0	0	1	1	0	1	0
0	1	0	1	1	0	1	0	0	1
1	1	0	0	1	1	0	1	0	0
0	0	1	1	0	0	1	0	1	1
0	0	1	1	0	1	0	1	0	1
1	1	0	0	1	0	0	1	1	0
1	0	1	0	1	0	1	0	1	0
0	0	1	1	0	1	1	0	0	1

KAKURO 143

9	7		2	1	3	4		
8	6	9	7	5	4			
	2	7	1		1			
4	5	8			2	5	1	
1	3				6	4		
3	4				1	3		
2	1	7			1	4	2	
		8		1	2	3		
		9	6	5	8	7	3	
		3	6	1	2		2	1

BINARY 140

1	1	0	1	0	0	1	0	1	0
0	0	1	0	1	1	0	1	0	1
0	1	1	0	0	1	0	1	0	1
1	0	0	1	1	0	1	0	1	0
0	1	1	0	1	0	0	1	1	0
1	0	1	0	0	1	1	0	0	1
1	0	0	1	1	0	0	1	1	0
0	1	1	0	0	1	1	0	1	0
1	0	0	1	0	1	1	0	0	1
0	1	0	1	1	0	0	1	0	1

KAKURO 144

		1	3			1	3	
		2	1	5	4	3		
2	1	3			6	2	1	
1	3				9	5		
4	2	1			8			
		2			7	8	9	
	1	3				9	7	
1	2	4			9	6	8	
	5	6	7	9	8			
1	3			8	6			

SOLUTIONS

KAKURO 145

	1	3		2	1	7	3
2	4	7	1	3	5		
	5	8	4		8		
8	6	9			9	8	6
5	2					5	4
9	7					2	1
7	1	2			2	1	3
		1		2	1	4	
		5	1	3	4	6	2
	4	3	2	1		3	1

ADDOKU 149

7	1	4	9	2	3	6	5	8
9	3	6	5	4	8	1	2	7
5	2	8	6	7	1	4	9	3
4	9	3	2	1	7	8	6	5
6	5	1	4	8	9	3	7	2
8	7	2	3	5	6	9	1	4
1	4	7	8	6	5	2	3	9
3	8	5	1	9	2	7	4	6
2	6	9	7	3	4	5	8	1

ADDOKU 146

8	6	9	2	5	4	1	7	3
5	4	3	7	1	6	2	8	9
1	7	2	3	8	9	4	5	6
3	2	4	6	7	5	8	9	1
6	8	7	9	2	1	5	3	4
9	5	1	8	4	3	7	6	2
4	1	6	5	9	8	3	2	7
2	9	8	4	3	7	6	1	5
7	3	5	1	6	2	9	4	8

ADDOKU 150

1	6	8	7	4	9	2	3	5
7	4	2	5	8	3	6	9	1
5	3	9	1	6	2	8	7	4
6	2	1	8	7	4	9	5	3
8	9	7	3	5	1	4	2	6
3	5	4	9	2	6	7	1	8
9	7	5	6	3	8	1	4	2
2	1	6	4	9	5	3	8	7
4	8	3	2	1	7	5	6	9

ADDOKU 147

4	6	5	3	8	7	2	9	1
9	3	7	4	1	2	8	5	6
8	2	1	9	5	6	4	3	7
2	7	6	8	4	5	3	1	9
5	4	3	6	9	1	7	2	8
1	9	8	2	7	3	5	6	4
3	1	2	7	6	8	9	4	5
6	8	9	5	3	4	1	7	2
7	5	4	1	2	9	6	8	3

ADDOKU 151

7	5	3	2	9	6	8	1	4
1	2	6	4	3	8	5	9	7
4	8	9	1	7	5	6	3	2
9	7	4	3	5	1	2	6	8
3	6	5	8	4	2	9	7	1
2	1	8	7	6	9	3	4	5
5	9	2	6	1	7	4	8	3
8	4	7	9	2	3	1	5	6
6	3	1	5	8	4	7	2	9

ADDOKU 148

8	4	6	5	7	3	2	1	9
5	3	1	9	2	8	4	6	7
9	2	7	4	6	1	8	3	5
6	9	3	7	8	2	5	4	1
1	8	4	3	9	5	7	2	6
7	5	2	1	4	6	3	9	8
2	1	5	8	3	9	6	7	4
4	6	8	2	1	7	9	5	3
3	7	9	6	5	4	1	8	2

ADDOKU 152

6	7	4	3	2	1	5	9	8
8	3	9	5	4	6	1	7	2
2	5	1	7	9	8	3	6	4
7	9	6	2	3	5	8	4	1
4	1	2	8	6	7	9	5	3
3	8	5	4	1	9	7	2	6
9	4	3	1	7	2	6	8	5
1	6	8	9	5	4	2	3	7
5	2	7	6	8	3	4	1	9

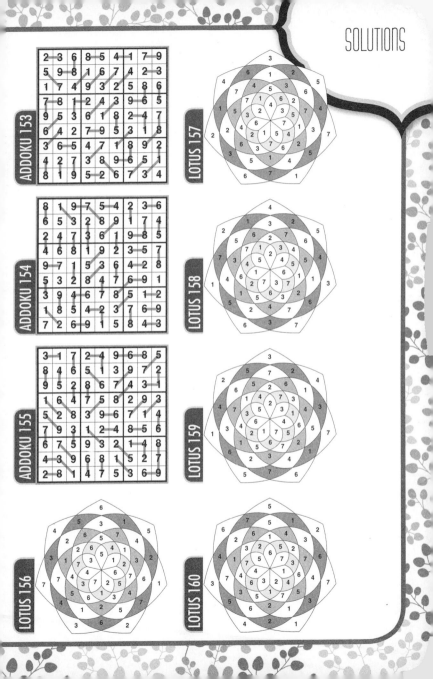

ADDOKU 153

ADDOKU 154

ADDOKU 155

LOTUS 156

LOTUS 157

LOTUS 158

LOTUS 159

LOTUS 160